고통, 그 인간적인 것

성서와 인간 4

고통, 그 인간적인 것

송봉모 지음

바오로딸

성서와 인간 4

차 례

고통, 그 인간적인 것

'고통스런 것은 인간적이다.'라는 말이 있다. 인간이기에, 언젠가는 스러져야 할 무상한 인간이기에 고통스런 것은 인간적이라는 말이겠다. "인생은 기껏해야 칠십 년, 근력이 좋아야 팔십 년, 그나마 거의가 고생과 슬픔이오니 덧없이 지나가고, 우리는 나는 듯 가버리고 마나이다."(시편 89,10)라는 시편의 말씀처럼 고통스런 것은 인간적인 것인 만큼 삶의 여정을 얘기할 때 고통을 빼놓을 수는 없다. 그런 의미에서 고통에 대한 이해를 넓혀보고자 한다. 그 누구보다도 인간 삶의 다양한 모습을 깊이 이해하였던 칼릴 지브란은 다음과 같은 시를 썼다.

그대들의 고통이란
그대들 이해력의 껍질이 깨어지는 것
과일의 씨앗도 햇빛을 쐬려면
부서져야 하듯이
그대들도 고통을 이해하지 않으면 안 되리

인간이기에 고통스러울 수밖에 없다는 것
이 삶의 진리이지만 우리 대다수는 고통스런
현실을 수용하는 일에 익숙하지도 강하지도
못하다. 많은 경우 체념하는 마음으로 닥쳐
온 고통을 받아들이지만 그렇게 할 때 더 견
디기 어려운 것은 그러한 운명적 고통보다도
그런 처지에 떨어진 자기 자신에 대한 미움
이다.

고통은 인생의 깊이를 더해주고 성숙으로
이끌어 주는가 하면, 인생살이를 더욱 어둡
고 비참하게 만들기도 한다. 고통이 언제나
우리를 단련시켜 주는 것만은 아니다. 시련
에 대한 우리 자세에 따라서 단련이 될 수도
있고 우리 생을 파괴시켜 버릴 수도 있다.

마치 옹기가마의 불이 옹기를 만들 수도 있
고, 숯덩이처럼 태워버릴 수도 있듯이. 도스
토예프스키는 "내가 두려워하는 것이 하나
있으니 그것은 내가 내 고통에 맞갖지 못하
게 행위할까 하는 것이다."라고 했다.

　이 세상에서 고통 없이 살아가는 사람은
아무도 없다. 무덤에 누워 있는 이들이 아닌
한 누구나 고통거리를 가슴에 안고 살아간
다. 다만 고통거리에 압도되어 살아가느냐,
나름대로 고통거리를 해결해 가면서 마음의
평화를 누리며 살아가느냐 하는 것만이 다를
뿐이다. 그러니 고통에 사로잡혀서 힘겹게
살아간다면 좀더 다른 행동양식, 문제를 대
면하고 의미있는 생을 살아가게 해주는 행동
을 선택하고 결정해야 한다. 우리는 짧고 소
중한 인생 여정에서 육체적으로든 심리적으
로든 고통을 겪을 때마다 자신에게 다음과
같이 물어보아야 한다. "내가 지금 겪고 있
는 이 고통은 나를 성숙시키고 단련시키고
있는가? 아니면 나를 비참하게 만들고 무기

력한 사람으로 만드는가?"

그러나 고통이라는 진리를 적극적으로 이해하기 전에는 이러한 질문에 대답하기가 쉽지 않다. 그러니 칼릴 지브란이 말한 대로 우리도 이해력의 껍질을 깨고 고통을 이해하지 않으면 안 된다.

1
고통에 대한 이해

왜 고통이?

자연세계는 언제나 폭풍(storm)을 몰고 온
다. 아무리 기상변화가 심하지 않은 고장이라
하더라도 폭풍은 계절의 변화와 함께 우리를
찾아온다. 겨울이 되면 눈보라(snowstorm)가
있고, 여름이 되면 비바람치는 폭풍(rainstorm)
이나 우박이 동반된 폭풍(hailstorm)이 있다.
이렇게 여러 가지 폭풍이 존재하듯이 우리 삶
에도 폭풍이 있으니 곧 '삶의 풍파들'이다.

어느날 느닷없이 전화가 와 "지금 당신 아
이를 경찰서에서 보호하고 있습니다. 잠깐

오셔야겠습니다."라든가, 편지가 책상에 놓여 있어 읽어보니, "나는 떠납니다. 더이상 나를 찾지 마세요. 이제 모든 것이 끝났습니다. 나는 당신을 더이상 사랑하지 않아요."라든가, 종합검진 결과를 말하는 의사로부터 "별로 좋은 소식이 아닙니다. 위장암 말기입니다."라는 소리를 듣게 된다고 생각해 보자. …우리 삶에 풍파가 얼마나 많은지. 오랜 세월 간직한 꿈을 한순간에 잃는다든가, 교통사고가 나서 갑작스레 사지를 못 쓰게 된다든가, 부도가 나서 온 가족이 도망다녀야 한다든가, 억울하게 모함을 받아서 사회나 교회 공동체 안에서 매장이 된다든가.

이러한 삶의 풍파들이 밀려왔을 때 우리는 어김없이 "왜? 어째서?"라는 물음을 던진다. "왜 나에게 이런 일이 일어나는가?", "어째서 하느님은 이런 일이 일어나도록 내버려 두시는가?", "왜 하느님은 적절하고 필요한 때에 개입하시지 않는가?"

또 삶의 풍파 앞에서 우리는 자기도 모르

게 "내가 무엇을 잘못했길래?"라는 물음을
던진다. "내가 도대체 무엇을 잘못했길래 여
기에 와 있는 것인가?", "내가 무엇을 잘못
했길래 이렇게 휠체어에 앉아 평생을 보내야
하는가?", "내가 무엇을 잘못했길래 저런 사
람과 결혼해서 이 고생을 하는가?", "내가
무엇을 잘못했길래 우리 집만 산사태를 당해
이 고생을 해야 되는가?"

특별히 신앙생활을 해오면서 '하느님은 사
랑이시다.', 아니 '하느님은 사랑뿐이시다.'
라는 것을 믿었던 사람은 "왜?"라는 질문과
"내가 무엇을 잘못했길래?"란 질문을 더 하
게 된다. "왜? 왜? 왜? 내가 무엇을 잘못했길
래? 내가 무엇을 잘못했길래? 내가 무엇을
잘못했길래?"

고통 앞에서 "왜 나에게 이런 일이?", "내
가 무엇을 잘못했길래?"라고 하는 것은 하나
같이 내가 고통의 희생물이 되었다고 여겨
나오는 말이다. 성서의 인물들도 예외는 아
니다. 그들도 고통에 민감하게 반응하면서

"왜 나에게 이런 일이?", "내가 무엇을 잘못
했길래?"를 외친다. 자신들이 고통의 희생물
이 되었음을 호소하는 것이다. 성서 안에서
고통의 인물로 뽑히는 이는 단연 욥이다. 의
인으로 살다가 갑작스레 재앙을 만나 자녀들
과 재산을 다 잃어버리고 자신은 심한 피부
병으로 고생하게 된 그는 분노에 차 하느님께
외친다. "어찌하여 고달픈 자에게 빛을 주시
며 괴로운 자에게 생명을 주시는가?"(욥 3,
20)

도대체 고통의 원인은 무엇일까? 고통의
원인이 무엇이길래 고통을 겪는 이들은 하나
같이 "왜 나에게 이런 일이?", "내가 무엇을
잘못했길래?"를 외치는 것일까?

이 세상을 고해(苦海)라 부르고, 인간에겐
백팔 가지 번뇌가 있다고 말하는 불가(佛家)
에서는 고통의 원인을 무엇으로 보고 있을
까? 불교 진리에 따르면, 고통은 누구도 피
할 수 없는 이 세상의 진리이다. 생로병사,
사랑하는 사람과 함께하지 못하는 것, 사랑

하지 않는 사람과 함께해야 하는 것, 생의 모든 것이 고(苦)이다. 간단히 말해서 인간 몸뚱이 자체, 인간을 구성하는 오온(五蘊) 자체가 고(苦)이다. 인생은 무상하기에 그러하다. 그러면 성서에서 말하는 고통의 원인은 무엇일까? 이제 성서의 인물들이 고통과 씨름하면서 나름대로 사색하여 내어놓은 고통의 다섯 가지 원인들을 하나하나 살펴보자.

성서에서 본 고통의 원인들

1. 고통의 근본적인 원인은 우리가 지은 죄와 그릇된 행위들이다. 아담과 하와가 뱀의 유혹에 넘어가 선악과를 따먹었을 때 하느님께서는 "네가 이런 일을 저질렀으니…저주를 받을 것이다."라고 하셨다. 이 관점에서 보면 고통의 근본 원인은 "네가 이런 일을 저질렀으니"이다. 창세기 3장 본문을 자세히 보자. 하느님께서는 여자와 남자에게 다음과 같이 말씀하신다.

"너는 아기를 낳을 때 몹시 고생하리라. 고생하지 않고는 아기를 낳지 못하리라. 남편을 마음대로 주무르고 싶겠지만 도리어 남편의 손아귀에 들리라."(창세 3,16)

"너는 아내의 말에 넘어가 따먹지 말라고 내가 일찍이 일러둔 나무 열매를 따먹었으니 땅 또한 너 때문에 저주를 받으리라. 너는 죽도록 고생해야 먹고 살리라. 들에서 나는 곡식을 먹어야 할 터인데, 땅은 가시덤불과 엉겅퀴를 내리라. 너는 흙에서 난 몸이니 흙으로 돌아가기까지 이마에 땀을 흘려야 낟알을 얻어먹으리라. 너는 먼지이니 먼지로 돌아가리라."(창세 3, 17-19)

이 짧은 구절에 '수고'와 '고통'이란 단어가 꽤 여러 차례 나온다. 이러한 수고와 고통은 다 죄를 지어서 주어진 것이다.

인간이 죄를 지어서 고통을 받는다는 이론

은 제일 먼저 등장한 이론인 동시에 지금도
통용되는 전통적 고통관이다. 이 고통관은 철
저히 개인 처벌 원칙에 입각한 고통관이다.
"재난은 사람이 스스로 빚어내는 것, 불이 불
티를 높이 날리는 것과 같다네."(욥 5,7)
　이 전통적 고통관에 따르면 하느님께서는
의인에게는 복을 내리지만 죄인에게는 벌을
내리신다. 시편 1편이 이 점을 잘 보여준다.

　"행복한 사람이여,
　불신자들이 꾀하는 말을 그는 아니 따르고
　죄인들의 길에 들어서지 않으며
　망나니들 모임에 자리하지 않나니
　차라리 그의 낙은 야훼의 법에 있어
　밤낮으로 주님의 법 묵상하도다.
　마치도 시냇가에 심어진 나무인 양
　제때에 열매 내고 잎이 아니 시들어
　그 하는 일마다 잘되어 가도다.
　불신자는 이렇지 않나니
　바람에 흩날리는 겨와도 같도다.

불신자는 심판 때에 버티지 못하리니
의인의 모임에서 죄인도 그러하리라.
주께서 의인의 길을 살펴주심이로다.
불신자의 길은 망할 것임이로다."(시편 1)

마지막 구절 "주께서 의인의 길을 살펴주
심이로다. 불신자(악한 자)의 길은 망할 것
임이로다."에 잠시 주목할 필요가 있다. 앞
문장과 뒤 문장의 주어가 다르다. 의인의 길
을 보살피는 분은 하느님이시지만, 악한 자
의 길을 멸망에 이르게 하는 자는 악인 자신
이다. 악인이 받는 고통은 자업자득이라는
것이다. 자기가 지은 죄로 받는 고통이기에
고통이라는 말은 어울리지 않고 벌이라는 말
이 더 정확하다 하겠다. 스스로 저지른 그릇
된 행위로 벌을 받는 것이다.

의인으로 통하던 욥이 엄청난 고통을 겪고
있을 때 그와 가장 가깝다는 친구 세 사람
(엘리바즈, 빌닷, 소바르)이 와서 욥의 무죄
성을 의심하고 자기들 나름대로 생각한 고통

의 원인을 욥에게 가르쳐 준다. 이들의 가르침을 한마디로 얘기한다면, "욥이 남 보기에나 성인 군자처럼 보이지 사실 그가 뒤에서 못된 짓을 하고 다니지 않았다면 어떻게 저런 벌을 받을 수 있겠는가?" 하는 것이다.

엘리바즈는 욥에게 무죄한 사람은 결코 멸망하는 법이 없으며 정직한 사람은 하느님으로부터 단절되지 않는다고 말한다(욥 4,7-8 참조). 빌닷은, 하느님은 정의로우신 분이기에 의인은 적극적으로 돌보아 주지만 죄인은 그렇게 하지 않는다고 말한다(욥 8,3-6 참조). 빌닷은 또 말하기를, 하느님은 어떤 경우에도 죄없는 이를 소홀히 대하지 않으나, 악인의 행위에 대해서는 반드시 단죄한다 하였다(욥 8,20-22 참조). 소바르 역시 앞의 두 친구와 비슷한 이야기를 한다. 그는 말하기를 "하느님은 인간이 한 행위에 따라 보상하는 분이시니, 마음이 깨끗한 사람은 보호해 주시고 평안하고 안정된 삶을 즐기도록 해주시지만, 그렇지 못한 사람은 자기 꾀에

빠져서 실패하고 죽음의 길을 가게 된다고
말한다(욥 11,11.20 참조). 소바르는 욥이 그래
도 안돼 보였는지 위로하여 말하기를, 하느님
은 인간이 지은 죄를 벌하지만 그 인간이 지
은 죄를 반성하면 그 벌을 가볍게 해주신다고
말한다(욥 11,14-19 참조).

　이렇게 욥의 세 친구는 하느님께서는 의인
을 보살피고 악인은 벌하신다는 전통적 입장
을 고수한다. 우리 중 많은 이들도 이러한
고통관을 갖고 있다. 삶이 힘들고 불행해지
면 즉시 '내가 죄가 많아서 이렇게 고통을
겪고 벌을 받고 있구나.' 하며 괴로워한다.
그런데 이 전통적 고통관이 늘 강한 설득력
을 갖는 것은 아니다. 생각보다 많은 사람들
이 욥처럼 자기들이 당하고 있는 현재의 고
통이 자기들 죄 때문이 아니라고 생각하는
것이다. 설령 자기들이 죄를 지었다 해도 하
느님께서 사랑의 하느님이시라면 그렇게 하
실 리가 없다는 것이다. 그리하여 나오게 된
새로운 고통관이 집단처벌 사상이다.

2. 고통받는 사람이 스스로를 반성해 볼 때 정말로 지은 죄가 별로 없다면 어떤 생각을 하게 될까? 조상들의 죄 때문에 벌을 받거나 다른 사람이 저지른 잘못 때문에 벌을 받는다고 생각할 것이다. 사실 원죄 이야기는 조상 탓으로 우리가 벌받고 있음을 알려주는 가장 극명한 예이다. 범죄한 이는 아담과 하와인데 그들에게 내려진 고통이 우리에게까지 영향을 미친다. 아담이 죄를 지은 탓에 우리 모두는 땀 흘려 일해야 하고, 죽을 고생을 하면서 아이를 낳아야 하고, 끝내는 죽어서 흙으로 돌아가야 한다. 그래서 에즈라서에는 이런 원망의 말이 나온다.

"오! 아담이여. 당신은 무슨 짓을 하였는지 아는가? 범죄한 것은 당신이지만 타락이 당신에게만 국한된 것이 아니라 당신의 후손인 우리에게도 미쳤소이다!"(4에즈 7,116-126)

조상들의 죄, 곧 다른 사람의 죄 때문에 우리가 벌을 받는다는 얘기는 성서 여기저기에 나온다. 예를 들면 여호수아의 영도하에 팔레스티나 땅을 점령하러 나갔던 이스라엘 군은 처음에는 싸울 때마다 승리하였다. 그러던 이스라엘이 어느날부터인가 계속해서 패하게 된다. 수많은 병사들이 매일같이 적군의 칼에 죽어갔다. 나중에 패전 이유를 살펴보니 이스라엘 군인 중 한 사람인 아간이 하느님의 명령을 어기고 승전품을 훔쳤기 때문이었다. 아간 때문에 아무 잘못도 없는 다른 많은 병사들이 죽어야 했고, 아간뿐 아니라 아간의 가족 전부가 벌을 받아야 했다(여호 7,12-25). 마치 삼족을 멸하던 우리나라 법처럼 아간으로 인해서 아간의 가문 모두가 죽임을 당한 것이다. 삼족을 멸하는 경우는 성서에 자주 나온다. 모세에게 반항하였던 코라가 벌을 받을 때 그 자신은 물론 그의 온 가족이 죽임을 당한다(민수 16,32). 이렇게 한 사람 잘못으로 인하여 다른 사람까지 벌을 받는다면 집단처벌이다. 군대식으로 표현하면 단체기합이다.

단체기합식 벌을 보여주는 또 다른 예를 보자. 다윗이 하느님의 뜻을 어기고 부하 장수들의 간청을 외면한 채 제멋대로 병적조사를 하였을 때 하느님은 다윗을 문책하기 위하여 세 가지 벌을 제시한다(2사무 24,1-16). 그런데 이 셋 중 하나만 빼고는 모두가 단체기합식 벌이다. 삼 년 동안 이스라엘 땅에 기근이 들든가, 다윗이 석 달 동안 원수들에게 쫓겨다니든가, 아니면 사흘 동안 이스라엘 땅에 전염병이 돌든가(2사무 24,13)이다. 삼 년간, 석 달간, 그리고 삼 일간이란 벌 중에서 석 달간의 벌을 빼고는 다 집단처벌이다. 다윗이 두 번째 벌, 즉 자기가 석 달간 원수들에게 쫓겨다니는 벌을 골랐으면 좋았을 것을, 그가 세 번째 벌을 고르는 바람에 삼 일간 이스라엘 온 땅에 전염병이 돈다. 그리하여 삼 일 동안 이스라엘에는 통곡소리가 끊이지 않았으니 무려 7만 명이 죽었던 것이다. 해도 너무하지 않은가! 하느님은 왜 다윗 한 사람의 죄 때문에 무고한 이들,

아무 잘못도 저지르지 않은 이들에게까지 벌
을 내리시는가!

다른 사람이 범한 죄 때문에 하느님이 엉
뚱한 이들을 친다는 집단처벌 사상이 난무했
던 시기는 지금부터 2500년 전 얘기다. 고통
에 대한 이러한 사상이 확대되면서 민중 사
이에서는 한 사람이 잘못을 저지르면 그 죄
값이 삼,사대 후손에까지 이른다는 말이 퍼
졌다(민수 14,18). 그리고 시간이 흐르면서
집단처벌 사상은 더욱 팽배하여 유배시대,
즉 이스라엘이 민족적 차원에서 가장 혹심한
고통을 겪을 때에는 다음과 같은 속담이 널리
퍼졌다. "아비가 신 포도를 먹으면 아들의 이
가 시큼해진다."(예레 31,29 ; 에제 18,2) 이 말
은 조상들이 죄를 지었는데 엉뚱하게도 그
후손들이 유배지에서 억울하게 벌을 받으며
고통을 겪는다는 것이다.

이렇게 한 사람의 잘못 때문에, 아니면 조
상들의 잘못 때문에 무고한 다른 사람들이나
후손들이 벌을 받는다는 사상이 만연하다 보

니 하늘을 향해 다음과 같은 기도를 드리기
도 하였다. "내 아비, 어미, 조부, 조모, 가
족, 친척 그리고 나를 아는 모든 이의 죄가
내게로 오지 않고 비켜가게 해주옵소서."

많은 이들이 이런 식의 집단처벌을 고통의
원인으로 받아들일 수 없었다. 하느님이 자비
의 하느님이라면 그렇게 무자비하게 하지는
않을 것이요, 하느님이 정의의 하느님이라면
그렇게 턱없이 벌하지는 않을 거라는 반성이
끊임없이 제기되면서 유배 이후에는 단체기
합식 고통사상은 없어졌다. 하느님께서는 에
제키엘 예언자를 통하여 당신이 집단처벌을
베푸시는 분이 결코 아님을 강조하였다.

"'아비가 설익은 포도를 먹으면 아이들의
이가 시큼해진다.'는 속담이 이스라엘 안에
퍼져 있는데 이제 더이상 그런 속담을 말하
지 못하게 하리라. 사람의 목숨은 다 나에
게 딸려 있다. 죄지은 장본인 외에는 아무
도 죽을 까닭이 없다."(에제 18,2-4)

"죽을 사람은 죄를 지은 장본인이다. 아들이 아비의 죄를 받거나 아비가 아들의 죄를 받거나 하지는 않는다. 바로 살면 바로 산 보수를 받고, 못된 행실을 하면 못된 행실의 보수를 받는다."(에제 18,20)

그리하여 다른 사람의 죄나 조상의 죄로 인하여 엉뚱한 사람이 벌을 받게 되는 집단처벌 사상은 사라지고 대신 개인처벌 사상이 퍼지게 된다. 개인처벌 사상은 지난날 조상이 지은 죄, 과거의 죄로 말미암아 미래 없이 체념에 빠져 살아가던 그 당시 사람들에게 새로운 희망을 주었다.

그러면 개인처벌 사상이란 무엇인가? 하느님께서 각자의 행위에 따라 갚아주신다는 고통관이 아닌가? 즉 의인은 복을 받고 악인은 벌을 받는다는 전통적인 고통관이 아닌가? 결국 첫번째 고통관으로 다시 돌아간 것이다. 어쨌든 우리는 성서 인물들이 고통의 원인을 알아내기 위해서 얼마나 고심했는지를 알 수 있다.

3. 다시금 고통의 원인을 한 인간의 죄나 잘못으로 보게 되면서 "왜 나에게 이런 일이?", "내가 무엇을 잘못했길래?"라는 질문이 또다시 나오게 되었다. 내가 죄를 짓고 그릇된 행동을 했기 때문에 하느님께서 나를 벌하시는 것이라면 받아들일 수 있지만, 내가 아무런 죄나 잘못도 저지르지 않았는데 고통이 주어진다면 어떻게 그것을 받아들일 수 있겠는가? 또 설령 내가 잘못한 것이 있다 하더라도 부족한 인간으로서 최선을 다해 살아가던 중 넘어진 것인데 그러한 것에 일일이 시비를 걸어 벌을 준다면 도대체 누가 하느님 앞에서 복되게 살아갈 수 있으랴? 이러한 질문들이 다시금 쏟아져 나오면서 하느님 앞에서 다음과 같은 냉소적 질문도 하게 되었다.

"야훼님, 제가 아무리 시비를 걸어도 그

때마다 옳은 것은 하느님이셨기에 법 문제를 하나 여쭙겠습니다. 어찌하여 나쁜 자들이 만사에 성공합니까? 사기밖에 칠 줄 모르는 자들이 잘되기만 합니까?"(예레 12,1)

"주께서는 눈이 맑으시어 남을 못살게 구는 못된 자들을 그대로 보아 넘기지 않으시면서 어찌 배신자들은 못 본 체하십니까? 나쁜 자들이 착한 사람을 때려잡는데 잠자코 계십니까?"(하바 1,13)

개인처벌에 입각한 전통적 고통관은 무죄한 이들의 고통에 대해 납득할 만한 대답을 줄 수 없었다. 태어난 지 얼마 안 되는 천사 같은 아이가 고통을 겪고 있는데, 그럼 그 어린아이가 언제 어디서 어떻게 죄를 범할 수 있었다는 말인가? 이런 물음은 의인이 받는 고통에 대한 질문이다. 욥은 사람 앞에서뿐 아니라 하느님 앞에서도 자신의 의로움을 주장할 만큼 의로운 인물이었다. "당신께서 하시는 일이란 이 몸의 허물이나 들추어 내고 이 몸의 죄나 찾아내는 것입니까? 당신께서는 내가 죄인이 아님을 아시나이다."(욥 10,6-7)

욥기는 의인의 고통에 대해서 질문하고 대답하고자 쓰여진 책이지만 정작 고통에 대해, 특별히 의인이 왜 고통을 받아야 하는지에 대해 시원한 대답을 주지 않는다. 그저 고통은 인간이 이해할 수 없는 신비라는 말만 할 뿐이다.

하지만 욥기는 분명한 사실 한 가지를 보여준다. 고통 앞에서 욥이 하느님께 던진 질문, "왜 나에게 이런 일이?", "내가 무엇을 잘못했길래?" 등의 항변(抗辯)을 하느님께서 진지하게 받아들이셨다는 사실이다. 하느님께서는 이러한 항변들을 인간이 고통 앞에서 보이는 솔직한 태도로 받아들이신다는 것이다. 욥기 42장 7절을 보면 하느님께서 욥과 그의 친구들 앞에 나타나시어 전통적 고통관으로 욥을 꾸짖었던 친구들을 탓하신다. "너

희들을 생각하면 터지는 분노를 참을 길 없
구나. 너희들은 내 이야기를 할 때 욥처럼
솔직하지 못하였다."(욥 42,7) 이것이 욥기에
나오는 "고통은 왜?"라는 질문에 대한 대답
의 전부이다. 욥이 하느님께 반항하며 왜 내
게 고통을 주느냐고 울부짖는데, 그 울부짖
음에 대한 대답은 일체 없이 욥의 울부짖음
은 솔직한 태도였다고만 할 뿐 그 이상의 대
답은 없는 것이다.

하지만 우리는 욥기를 통해서 한 가지 귀
중한 진리를 깨달을 수 있다. 하느님은 "고
통은 왜?"라는 욥의 질문에 대답하는 대신
욥에게 신비스런 질문을 퍼부으신다. 바로
이 점이 중요한 가르침인 것이다. 먼저 하느
님이 욥에게 한 질문들을 보자. "내가 땅의
기초를 놓을 때에 너는 어디에 있었느냐? 그
렇게 세상물정을 잘 알거든 말해보아라."(욥
38,4) "누가 이 땅을 설계했느냐? 그 누가 줄
을 치고 금을 그었느냐? 어디에 땅을 받치는
기둥이 박혀 있느냐? 그 누가 세상의 주춧돌

을 놓았느냐?"(욥 38,5-6) 욥은 고통에 대한 많은 질문을 하느님께 하였는데, 이제는 하느님께서 욥에게 많은 질문을 던지신다. 하느님의 이러한 질문들은 욥을 가르치려거나 설득하시려는 질문이 아니다. 하느님께서 욥에게 하신 질문들은 하나같이 욥을 아찔하게 만드는 질문이요, 무릎을 꿇게 만드는 질문들이다.

"너는 죽음의 문이 환히 드러나는 것과 암흑의 나라 대문이 뚜렷이 나타나는 것을 본 일이 있느냐? 네가 넓은 땅 위를 구석구석 살펴 알아보지 못한 것이 없거든, 어서 말해보아라. 빛의 전당으로 가는 길은 어디냐? 어둠이 도사리고 있는 곳은 어디냐? 너는 빛을 제 나라로 이끌어 가고 어둠을 본고장으로 몰아갈 수 있느냐? 네가 그 한 옛날에 태어나 오래오래 살았으므로 그래서 모르는 것이 없단 말이냐?"(욥 38,17-21)

하느님이 욥에게 처음 나타나시어 하신 첫
마디가 벌써 욥의 무릎을 꿇게 만드는 말씀
이었다. "부질없는 말로 나의 뜻을 가리는
자가 누구냐? 대장부답게 허리를 묶고 나서
라."(욥 38,1) 하느님께서 한꺼번에 수많은
질문들을 욥에게 던지신 후 잠시 말을 가다
듬기 위해서 처음에 했던 말로 돌아간다.
"대장부답게 허리를 묶고 나서라. 나 이제
물을 터이니 알거든 대답하여라. 네가 나의
판결을 뒤엎을 셈이냐? 너의 무죄함을 내세
워 나를 죄인으로 몰 작정이냐?"(욥 40,6-8)
이렇게 말씀하시고 나서 하느님은 또다시 욥
의 마음을 조이는 질문들을 퍼부으신다.

　"네 팔이 하느님의 팔만큼 힘이 있단 말
이냐? 너의 목소리가 천둥소리와 같단 말
이냐? 그렇다면 권세와 위엄으로 단장하고
권위와 영화를 걸치고 너의 분노를 폭발시
켜 보아라. 건방진 자가 보이거든 짓뭉개
주어라. …그렇게 할 수 있다면 내가 알아

주리라. 네가 자신의 힘으로 헤어날 수 있
으리라고."(욥 40,9 – 14)

하느님께서 욥에게 속사포처럼 퍼부으신
질문들은 그 전에 욥이 하느님께 던진 "고통
은 왜?"라는 질문과 대비를 이룬다. 하느님
을 향해 질문을 던졌던 욥의 모습은 마치 진
흙이 옹기장이에게 어떻게 손놀림해야 하는
지 알려주고, 농부가 임금에게 어떻게 왕국
을 이끌어 가야 할지를 충고하는 것과 같다.
좀더 현대적인 비유를 들자면 욥의 모습은
마치 농구 황제 마이클 조던 앞에서 어떻게
공을 잡아야 할지 충고해 주는 농구 초년생
과 비슷하다. 욥은 진흙이요, 하느님은 옹기
장이라면 진흙이 감히 옹기장이의 세계를 넘
나들려고 하는 꼴인 것이다.

아무튼 고통의 원인에 대한 세 번째 대답
은, 고통은 신비라는 것이다. 고통이 신비라
는 점은 요한복음 9장에 나오는 태어날 때
부터 장님이었던 사람의 운명을 통해서도 볼

수 있다. 제자들이 예수께 묻기를 "선생님, 저 사람이 소경으로 태어난 것은 누구의 죄입니까? 자기 죄입니까, 그 부모의 죄입니까?"(요한 9,2) 하고 묻자 예수께서는 이렇게 대답하신다. "자기 죄 탓도 아니고 부모의 죄 탓도 아니다. 다만 저 사람에게서 하느님의 놀라운 일을 드러내기 위한 것이다."(요한 9,3) 예수의 이런 대답이 고통받고 있는 당사자에게는 설득력 없는 이야기이지만 운명의 주인은 인간이 아니라 하느님이시기에 고통은 신비로 받아들이지 않을 수 없는 것이다.

4. 하지만 고통은 신비라는 대답에 만족할 수 없다면 어떻게 할 것인가? 나아가 이미 주어졌던 다른 대답들에 만족할 수 없다면? 즉 고통은 우리가 죄를 지었기에 개인처벌로서 주어진 것이거나 아니면 조상들의 범죄나 다른 사람들의 잘못으로 인하여 집단처벌로서 주어졌다는 이론에 도통 만족할 수 없다면 도대체 어디서 고통의 원인을 찾을 수 있

다는 말인가? 이리하여 나오게 된 또 하나의
고통관이 있으니 그것은 고통은 우리를 시험
하고 견책하기 위하여 주어졌다는 것이다.
하느님께서 "이 백성은 괴로움을 참다못해
마침내 나를 애타게 찾으리라."(호세 5,15)
하신 말씀 이면에는 고통의 뜻이 담겨 있다.
하느님께서 이스라엘 백성에게 괴로움을 허
락한 것은 그로 인해서 하느님을 다시금 찾
을 수 있겠기 때문이다. 고통은 인간을 정화
시키고 단련시키기 위해 주어지는 것이라는
것이다.

　고통에 대한 이러한 해석은 중요하다. 신
앙인에게 고통이란 하느님 사랑의 계획 안에
서 주어지는 것이다. 히브리서 저자는 "주님
께서는 사랑하시는 자를 견책하시고, 아들로
여기시는 자에게 매를 드신다."(히브 12,6)고
하고 나서, 신앙인들을 향해 "하느님께서 여
러분을 견책하신다면 그것은 여러분을 당신
자녀로 여기고 하시는 것이니 잘 참아내십시
오. 자기 아들을 견책하지 않는 아버지가 어

디 있겠습니까?"(히브 12,7)라고 말한다. 히브리서 저자에 따르면 고통이란 교육적 가치를 지니는 것이다. 묵시록에서도 고통에 대한 같은 견해가 언급된다. "내가 사랑하는 자일수록 책망도 하고 징계도 한다."(묵시 3, 19)

이 고통관을 금방 이해하게 해주는 예가 창세기 22장에 나온다. 하느님께서 아브라함을 시험하시는 이야기이다. 하느님께서는 아브라함을 시험하고자 아비가 아들을 죽여야 하는 고통스런 위치에다 아브라함을 밀어넣는다. 또 다른 예는 토비트에게서 볼 수 있다. 토비트는 유배지에 살면서도 율법의 모든 규정을 지키며 자선과 애덕을 베풀며 살아가던 의인(義人)이었다. 어느날 동포 중 한 사람이 아시리아 왕에게 살해되어서 장터에 매달려 있다는 소식을 듣는다. 그는 즉시 뛰어나가 죽은 사람에 대한 마지막 예의로서 목숨을 걸고 그 시신을 몰래 거둬 묻어준다. 이렇게 장례를 치러주고 나서는 시신에 손을

댄 이는 저녁까지 집 안에 들어갈 수 없다는 율법의 정결규정을 지키기 위해 집 밖 나무 밑에서 쉰다. 그가 나무 밑에 누워 있을 때 뜨거운 새똥이 그의 눈에 떨어져 그만 장님이 된다. 바로 조금 전 목숨을 걸고 애덕을 실천한 토비트에게 이런 비극이 닥친 것은 무엇 때문인가? 그 대답은 토비트가 오랜 세월 장님으로 고생한 후 라파엘 천사가 나타나 알려준다. "언젠가 당신이 잔치 자리를 박차고 일어나 나가 시체를 묻어주던 날, 당신을 시험키 위해 파견된 자는 바로 나(라파엘)였습니다."(토비 12,13)

5. 고통은 하느님께서 당신 자녀를 단련시키기 위해 마련하신 것이란 사상은 비교적 적극적으로 고통을 해석한 것이다. 이렇게 적극적인 고통관에서 한걸음 더 나아가는 고통관이 등장하니, 그것은 대속적 고통관이다. 한 인간이 겪는 고통은 그 인간이 지은 죄 탓도 아니요, 그렇다고 조상들이나 다른

사람 잘못 때문도 아니다. 또 견책이나 단련을 받기 위한 것도 아니다. 다만 고통을 겪음으로써 다른 사람들이 은혜를 입기 위한 것이라는 사상이다. 대속적 고통의 첫번째 예는 성조(聖祖) 요셉에게서 볼 수 있다. 형들의 질투를 받아서 살해당할 뻔하다가 이집트에 종으로 팔려간 요셉이 우여곡절 끝에 이집트 재상(宰相)이 된다. 그리고 가뭄을 피해 식량을 구하러 온 형들을 만나는데 그때 그는 다음과 같이 말한다. "하느님께서 나를 형님들보다 앞서 이곳 이집트로 보내신 것은 형님들의 종족을 이 땅에 살아 남게 하시려는 것이었습니다."(창세 45,7) 요셉은 고통을 통해서 하느님 섭리의 도구가 된 것이다. 또 다른 대속적 고통의 예는 이사야서에 나오는 고통받는 야훼의 종에서 볼 수 있다. 야훼 종의 고통은 그가 어떤 잘못을 저질러서 받는 것이 아니요, 그렇다고 견책을 받기 위한 것도 아니다. 그가 고통받는 것은 우리 모두의 죄 때문이었다.

"그는 고통을 겪고 병고를 아는 사람, 사
람들이 얼굴을 가리우고 피해 갈 만큼 멸
시만 당하였으므로 우리도 덩달아 그를 업
신여겼다. 그런데 실상 그는 우리가 앓을
병을 앓아주었으며, 우리가 받을 고통을
겪어주었구나. 우리는 그가 천벌을 받은
줄로만 알았고 하느님께 매를 맞아 학대받
는 줄로만 여겼다. 그를 찌른 것은 우리의
반역죄요, 그를 으스러뜨린 것은 우리의
악행이었다. 그 몸에 채찍을 맞음으로 우
리를 성하게 해주었고 그 몸에 상처를 입음
으로 우리의 병을 고쳐주었구나. 우리 모두
양처럼 길을 잃고 헤매며 제멋대로들 놀아
났지만 야훼께서 우리 모두의 죄악을 그에
게 지우셨구나."(이사 53,3-6)

요셉과 고통받는 야훼의 종의 모습에서 우
리는 고통에 대한 새롭고 중요한 의미를 알
게 된다. 이들은 다른 인간의 선을 위한 고
통이 무엇인지를 보여준다. 고통을 체험한

구약의 인물들 중에서 아무 불평 없이 고통을 받아들인 자가 있다면 오로지 요셉과 고통받는 야훼의 종뿐이다. 이들은 묵묵히 고통을 받아냄으로써 다른 사람들을 구한다.

"나는 때리는 자들에게 등을 맡기며, 수염을 뽑는 자들에게 턱을 내민다. 나는 욕설과 침뱉음을 받지 않으려고 얼굴을 가리우지도 않는다."(이사 50,6)

다른 인간의 선을 위한 대속적인 고통은 예수 그리스도에게서 그 절정을 이룬다. 아무런 죄도 짓지 않으신 분께서 엄청난 고난을 겪으시고 십자가에서 죽으신다. 의인 중의 의인이신 분께서 모함을 받아 대역죄인으로 돌아가시는데도 반항하지 아니하신다. 묵묵히 고통의 수난을 받아들이신다.

"그분은 우리 죄를 당신 몸에 친히 지시고 십자가에 달리셔서 우리로 하여금 죄의 권세에서 벗어나 올바르게 살게 하셨습니다. 그분이 매맞고 상처를 입으신 덕택으로 여러분의 상처는 나았습니다."(1베드 2,24)

주님께서 걸어가신 대속적 고통을 우리 신앙인들도 걸어가고 있다. 얼마나 많은 신앙인들이 자진해서 고통의 제물이 되어 사는지 모른다. 이들은 고결한 영혼들로서 남의 눈에 띄지 않게 고통을 겪으면서 세상의 성화를 위해 자신의 병이나 시련을 참고 견딘다. 또 연옥 영혼들을 위하여 기꺼운 마음으로 희생과 보속 행위를 한다.

지금까지 우리는 고통의 원인에 대한 성서 인물들의 사색을 살펴보았다. 마치 우리가 고통스러울 때 우리 나름대로 고통의 이유를 대어가면서 견디듯이 성서 인물들도 고통스러울 때 자기들 나름대로 고통의 이유를 대어가면서 견디었다. 어떤 이는 고통을 자기 죄 탓으로 보았고, 어떤 이는 조상의 잘못이나 타인의 잘못으로 인한 집단처벌로 보았다. 또 어떤 이는 고통을 신비로 보았고, 어떤 이는 신앙인을 단련·견책시키기 위한 수단으로 보았다. 또 어떤 이는 다른 사람들의 이익을 위한 대속적인 것으로 보았다. 이상 다섯 가지 고통관 중 과연 어떤 것이 맞는가, 어떤 것이 가장 설득력 있는가라는 질문은 있을 수 없다. 왜냐하면 각 사람이 겪고 있는 고통의 내용과 상황에 따라서 그 대답이 달라지기 때문이다. 죄스런 생활을 하면서 평안한 마음을 갖지 못하는 것은 스스로가 자초한 벌이다. 또 술 담배를 지나치게 하거나, 아편과 같은 마약을 먹거나, 일 중독으로 병을 얻게 된다면 그 고통은 스스로 자초한 것이다. 한편 갑작스레 발생한 사고·재화·악성 전염병·폭풍우·지진·전쟁 등의 재앙은 자기 탓과는 아무런 상관이 없이 닥쳐온 고통이다. 우리는 자신이 지금 겪고 있는 고통의 원인이 무엇인지 스스로 알 수 있다. 자신과 하느님만은 결코 속일 수 없기 때문이다.

고통은 절실한 것

그런데 고통에 대한 성서적 견해들이 지금 이 순간 절실한 고통을 겪고 있는 이들에게 얼마나 도움이 될까? 지금 누군가가 이 순간 죽고 싶을 만큼 아프고 절망적인 고통을 겪고 있는데 그런 사람에게 이러한 성서의 다섯 가지 고통관을 제시하며 고통의 원인에 대해 말한다고 그게 무슨 소용이 있을 것인가. 우리가 흔히 저지르는 실수는 고통받는 사람에게 너무 쉽게 충고를 한다는 점이다. "하느님 뜻으로 받아들이세요. 인간은 고통을 통해서 하느님을 더 잘 알고 하느님과 더 가까워지게 되는 거예요." 이러한 말을 듣고 그 사람은 어떤 반응을 보일까? 십중팔구 하느님이 인간 상처에 대해서 무감각하고, 잔인하고, 비이성적이고, 돌보심이 없는 분이라고 단정할 것이다.

우리는 '하느님의 뜻'이라는 말을 너무 쉽게 쓴다. 고통을 하느님 뜻으로 받아들이라

는 권고는 언뜻 보면 신앙인이 가져야 할 올
바른 태도처럼 보이지만 꼭 그런 것은 아니
다. 하느님 뜻이란 말을 쉽게 사용해서는 안
된다. 때로는 하느님 뜻이란 이름으로 대면
해야 할 문제의 실재를 부인하거나 거부할
수 있기 때문이다.

　우리는 경험을 통해서 고통 중에 있는 사람
에게는 쓰잘 데 없는 말을 하기보다는 차라리
침묵으로 대하는 것이 도와주는 일이라는 것
을 잘 알고 있다. 욥의 세 친구들도 처음에는
고통을 겪고 있는 욥의 모습이 너무도 마음아
파서 말 한마디 못 하고 울기만 하였다.

　　"그들은 이레 동안 주야로 땅에 앉아 욥
　을 바라다볼 뿐 입을 열 수조차 없었다.
　그의 고통당하는 모습이 너무나 처참했기
　때문이었다."(욥 2,13)

　고통을 겪고 있는 사람을 침묵으로 대해
야 하는 것은 그만큼 고통이 절실하고 힘들

기 때문이다. 고통이 얼마나 힘든지, 얼마나 죽고 싶을 만큼 아프고 절망적인지 우리 자신이 생의 풍파를 통해서 잘 알고 있지만, 그래도 다시 한번 성서 인물들을 통하여 그 절실함을 보도록 하자.

많은 성서의 인물들은 고통을 견디기가 너무 힘들어 하느님께 차라리 죽여 달라고 청했다. 엘리야 예언자는 아합왕의 아내 이세벨에 대항해서 이스라엘에 만연된 바알 우상 숭배를 타파하였지만 그로 인해 이세벨의 미움을 사 도망다녀야 했다. 엘리야는 두려움과 공포에 떨면서 광야를 방황하다 지칠 대로 지쳐 하느님께 자기를 제발 죽여 달라고 기도한다. "아! 야훼여, 이제 다 끝났습니다. 이제 제 목숨을 거둬주십시오."(1열왕 19,4) 엘리야가 한 절망의 말, "야훼여, 이제 다 끝났습니다."는 히브리 원전을 바탕으로 직역하면 "야훼여, 이제 지긋지긋합니다."이다. 영어로는 "I have had enough."이다.

하느님께서 전하라고 한 대로 조국의 멸망

을 예언했다가 동족으로부터 미움을 받고 웅
덩이에까지 던져졌던 눈물의 예언자 예레미
야는 자신이 태어난 날을 저주한다.

"저주받을 날, 어머니가 나를 낳던 날,
복과는 거리가 먼 날, 사내아이가 태어났
다는 소식을 전하여 아버지를 즐겁게 한
그자도 천벌을 받아라. …모태에서 나오기
전에 나를 죽이셨던들, 어머니 몸이 나의
무덤이 되어 언제까지나 태 속에 있었을
것을! 어찌하여 모태에서 나와 고생길에
들어서 이 어려운 일을 당하게 되었는가!"
(예레 20,14-18)

토비트의 경우는 어떠한가? 장님이 된 뒤
부인에게 얹혀 살아가던 그가 어느날 부인과
한바탕 싸우게 된다. 부인이 남의 집에 품팔
이를 해서 얻어 온 염소를, 토비트는 부인이
생활이 궁해지자 어디서 몰래 훔쳐온 것이
아닌가 의심한다. 그래서 부인을 다그치다가

싸우게 된 것이다. 토비트의 부인은 그에게 독설을 뿜어댄다. "당신이 행한 자선으로 얻은 것이 무엇입니까?…당신이 지금 이 꼴이 되었다는 것을 모르는 사람은 없습니다."(토비 2,14) 부인으로부터 멸시를 받고 크게 상심한 토비트는 하느님께 자기를 죽여 달라고, 제발 죽여 달라고 청한다.

"주여! 많은 슬픔이 나를 짓누르고 있으니 사는 것보다는 죽는 것이 오히려 낫습니다. 주여, 이 고뇌에서 나를 벗어나게 해주시고 영원한 곳으로 나를 보내주소서. …살아서 이 많은 고뇌를 겪기보다 차라리 죽어서 이 조롱을 듣지 않는 편이 낫겠습니다."(토비 3,6-7)

엘리야나 예레미야 그리고 토비트에게 그렇게 죽고 싶을 만큼 고통이 절망적이었던 것은 그들이 겪는 고통이 힘들어서라기보다는 무의미했기 때문이다. 그들은 왜 고통을

겪어야 되는지, 그 의미도 목적도 찾을 수
없었기 때문에 살아갈 의욕마저 잃었던 것
이다.

의인 중의 의인이라 불리던 욥도 무의미한
고통의 저주 앞에서 죽기를 갈망했다.

"아, 이 원통한 심정을 저울질하고 이 재
앙도 함께 달아보았으면. 바닷가 모래보다
무거우리니 … 하느님께서 나의 그 소원을
이루어 주신다면, 그리하여 나를 산산이
부수시고 손을 들어 나를 죽여주신다면,
차라리 그것으로 나는 위로를 받으리라."
(욥 6,1 - 10)

욥은 무의미한 고통을 견딜 힘도 없었고
또 견딘다 해도 좋은 수가 없을 것 같아 죽
기를 갈망한 것이다(욥 6,10-11). 그렇다고
스스로 목숨을 끊을 수는 없으니 하느님께서
그 목숨을 거두어 가시기를 청하는 것이다.
"견딜 수 없는 이 고통을 받느니 차라리 숨

통이 막혀 죽어버렸으면 좋겠습니다."(욥 7,
15)

전도서의 저자는 앞의 성서 인물들보다 더
고통의 무의미성에 대해 분노했고, 그 결과
인생에 대해 더 절망적이고 냉소적인 태도를
보였다. "나는 산다는 일이 싫어졌다. …하
늘 아래서 벌어지는 모든 일이 나에게는 괴
로움일 뿐이다."(전도 2,17)

이렇게 성서 인물들은 하나같이 고통의 무
의미성 앞에서 자기 생을 저주하고 죽음을
갈망하였는데, 놀랍게도 하느님만은 저주하
지 않았다. 엘리야·예레미야·토비트·욥,
그 어떤 사람도 자기들이 태어난 날은 저주
하지만 생명을 주신 하느님을 저주하지는 않
는다. 단지 하느님께 원망과 불평을 털어놓
을 뿐이다.

우리 모두는 성서 인물들과 똑같이 고통의
무의미성 앞에서 시달리고 고통의 저주가 남
긴 쓰라린 감각을 마음속 깊이 느끼며 아픔
속에 살아가고 있다. 부모의 품에서 죽어가

는 어린 자식을 바라보든, 생을 마감하려 하
면서 고통스럽게 내쉬는 부모님의 숨소리를
듣든, 갑자기 떠나버린 사랑하는 사람의 무
덤 앞에 서 있든, 또 다른 어떠한 고통이든
그 고통은 다 무의미하고 공허한 것으로 다
가온다. 이러한 자리, 무의미한 고통의 자리
에서 우리가 하느님께 할 수 있는 말은 무엇
일까?

우리가 고통받으면서 절실히 울부짖고 있
는 이 시간, 하느님은 도대체 어디 계시단
말인가? 어디에 계시기에 우리 울부짖음에
일체 응답하지 않으시는가? 그분은 귀머거리
인가? 하느님이 침묵하시는 까닭은 무능하시
기 때문은 아닐까? 고통 앞에서 하느님은 아
무것도 할 수 없다는 말인가? 곧 고통이 하
느님보다 더 세다는 말인가? 하느님의 침묵
은 하느님 자신이 바로 우리를 고통스럽게
만드는 장본인이란 증거인가?

우리 대다수는 고통의 무의미성 앞에서 하

느님에 대해 크게 실망하고 다음과 같은 말을 할지도 모른다. "하느님이 정말로 하느님이시라면…" 그 다음에 오는 말은 각 사람마다 다르다. 하지만 고통의 희생물이 된 사람들이 공통적으로 내뱉는 말은 "하느님이 정말로 하느님이시라면 왜 하느님답게 처신하시지 않는가?" 하는 것이다.

"하느님이 정말로 하느님이라면 이렇게 회사가 부도나서 온 가족이 길거리로 나앉게 하실 수가 있는가.", "하느님이 정말로 하느님이라면 어린 자식을 이렇게 땅에 묻게 하시는가.", "하느님이 정말로 하느님이라면 이렇게 억울하게 모함을 받게 하시는가.", "하느님이 정말로 하느님이라면 세상이 이렇게 타락하도록 내버려 둘 수가 있는가."

이러한 말과 함께 따라오는 것은 신앙에 대한 질문이다.

"고통 앞에서 침묵하시는 하느님을 어떻게 사랑할 수 있는가?", "우리 고통에 대해 아무것도 행하지 않는 하느님을 여전히 신뢰할

수 있는가?", "우리 고통 앞에서 이렇게 무
기력한 하느님을 어찌 믿을 수 있는가?"

필자가 속해 있는 예수회 수련원에서는 수
련 수사들이 일주일에 한 번씩 영등포 시립
병원에 가서 행려환자들을 돌본다. 한번은
어느 수사님이 시립병원에 가서 동상으로 두
다리가 잘리고 썩은 냄새를 피우는 환자들
과, 배가 하늘처럼 불러서 숨도 제대로 못
쉬는 행려환자들을 보면서 마음이 무척 아팠
다. 그날 저녁, 공동체 기도 나눔을 할 때
일이었다. 그 수사님이 갑자기 벌떡 일어나
더니 십자가를 향해 삿대질을 하면서 소리를
지르는 것이었다. "야, ○새끼야. 십자가에
만 있지 말고 내려와서 어떻게 좀 해봐! 니
가 정말 그리스도라면." 그러고 나서 자리에
주저앉더니 엉엉 우는 것이었다.

고통의 의미에 대한 대답을 찾지 못한 채
고통이 더욱 심해지면 우리는 욥과 똑같이
절망하여 이렇게 울부짖게 된다.

"내가 태어난 날이여, 차라리 사라져 버려

라. 사내아이를 배었다고 (미역국을 먹었던)
그 밤이여 사라져 버려라."(욥 3.3)
  아니면 예레미야처럼 울부짖게 될 것이다.

"주께서 이 몸을 끌어내어
칠흑 같은 어둠 속을 헤매게 하시는구나.
날이면 날마다
이 몸을 내려치시는구나.
뼈에 가죽만 남았는데
뼈마저 부숴뜨리시고
…

아무리 살려 달라고 울부짖어도
주께서는 이 간구마저 물리치시고,
…

앞길에 가시덤불을 우거지게 하여
내 몸을 갈가리 찢게 하시고,
나를 과녁으로 삼아
화살을 메워 쏘시는구나.
…

주께서는 돌멩이로 내 이를 다 부수시고

나를 땅에다 짓밟으시니
나는 언제 행복하였던가.
나의 넋은 평안을 잃었는데."

(애가 3,1-18)

아니면 예수님처럼 "엘로이, 엘로이, 레마
사박타니?"를 외치게 될 것이다.

"하느님 내 하느님, 어찌 나를 버리시나
이까?
울부짖고 빌건만 멀리 계시나이다.
진종일 외쳐봐도 들은 체 않으시고,
밤새껏 불러봐도 알은 체 아니하나이다.
주님은 성소에 계시옵는 이스라엘의 영
광,
우리 조상들이 당신께 바랐나이다,
당신께 바랐기에 그들은 구원받았나이
다. 당신께 부르짖었기에 구원을 받았삽고
당신께 바랐기에 망신을 아니 당하였나
이다.

나는 사람도 아닌 구더기, 세상에도 천
더기, 사람들의 조롱거리."(시편 21,2-3.
7)

무의미한 고통에 대해서 질문하다 보면 문
제가 되는 이는 늘 하느님이다. 어떤 고통이
든 그 의미를 찾기 위하여 고통의 원인을 추
적하다 보면 매번 걸리적거리는 단어가 하느
님이란 단어이다. 실상 하느님 자신이 우리
삶에서 일어나는 모든 일의 궁극적 책임이
당신에게 있다는 것을 선포하지 않았던가?

"내가 야훼다. 누가 또 있느냐? 빛을 만
든 것도 나요, 어둠을 지은 것도 나다. 행
복을 주는 것도 나요, 불행을 조장하는 것
도 나다. 이 모든 일을 나 야훼가 하였다."
(이사 45,7)

하느님, 하느님, 하느님이 진짜 문제처럼
보인다. 인간에게 생명을 주시고 늘 돌보아

주시는 자비로운 하느님이 실제로는 인간을
괴롭히고 불행하게 만드는 원흉처럼 보여진
다. 욥의 경우를 보자. 누가 욥에게 시련을
주었는가? 언뜻 보면 자연과 원수들이 욥에
게 재앙을 갖다 준 것처럼 보인다. 하늘에서
벼락이 떨어져 욥의 일꾼들이 죽고, 광풍이
불어 그의 자녀들이 죽었으며, 주변 원수들
이 욥의 일꾼들을 죽였으니. 하지만 이야기
문맥을 보면 자연과 원수들은 다 사탄이 욥
을 괴롭히기 위해 동원된 도구에 지나지 않
는다. 그렇다면 사탄이 욥에게 고통을 안겨
준 원흉이 아닌가? '그렇다.' 하고 대답하려
하니 하느님이 남아 있다. 하느님이 사탄에
게 허락만 주지 않았다면, 욥을 괴롭혀도 좋
다는 허락만 주지 않았다면. 그리하여 모든
고통의 원인은 하느님께로 귀착된다. 자비로
운 하느님이 사실은 악명 높은 폭군이란 사
실이 드러난다.

  하지만 하느님을 인간 고통의 원흉으로 결

론 내리기에는 너무 빠르다. 욥의 경우를 다시 한번 보자. 하느님께서 하신 일이 무엇인가? 하느님께서 하신 일은 허락해 준 것뿐이다. 하느님은 사탄에게 욥을 괴롭히기 위하여 벼락을 떨어뜨리고, 광풍을 불게 하고, 원수들을 동원시키도록 허락했을 뿐이다. 그런데 명령하는 것과 허락하는 것이 어떻게 다른가? 하느님은 인간 삶에서 일어나는 고통스런 사건들이 일어나라고 명령하시는 것이 아니라 허락하실 뿐이다. 하느님은 칼을 빼들고 위협하면서 돈을 강탈하지도, 머리를 굴려 사기치지도 않으신다. 하느님은 성폭행하지도, 술에 취해 운전하지도 않으신다. 하느님은 양심수들을 감옥에 처넣지도 않으신다. 하느님은 이 모든 일이 일어나는 것을 보고 계실 뿐이다.

하느님은 우리 인간이 서로서로를 못되게 하면서 상처 주고 세상을 파괴시키는 것을 몹시 아파하신다. 하느님은 인간의 범죄로 인해서 여전히 십자가를 지고 고통의 길을

걸으신다. 하느님의 고통은 십계명을 통해서
드러난다. '살인하지 말라.'고 하신 것은 하
느님께서 폭력과 살인을 철저히 미워한다는
것이다. '도둑질을 하지 말라.'고 하신 것
은, 도둑질을 하게 되면 인간 공동체가 무너
질 것을 아시기에 염려하시어 주신 계명이다.
　하느님께서는 우리가 한 행동에 대한 책임
이나 다가온 고통을 피하지 말고 어떠한 일
이 일어나든―그것이 좋은 것이든 나쁜 것
이든―우리가 그 고통과 대면하기를 원하
신다.

고통은 인간 실존의 현실

　모든 종교는, 고통이란 어떻게 피해야 하
는가의 문제가 아니라 어떻게 겪어야 하는가
의 문제라고 한다. 시련의 시기를 맞아 인간
은 자기가 믿는 종교의 신에게 믿음을 갖고
그 고통을 감수해야 한다고 가르친다. 그 예
로서 불교의 가르침을 보자.

인생에 괴로움과 고(苦)는 있지만 우울해
하거나 성내거나 못 견뎌하지 말라. 생의
근본적 죄악은 혐오와 증오이다. 혐오는
유정물에 대하여 사의(邪意)를 품는 것이
요, 증오는 괴로움과 괴로움을 주는 것에
대해서 사의를 품는 것이다.

그러므로 고통과 괴로움을 참아 넘기지
못하는 것은 잘못이다. 괴로움에 대해서
성내거나 못 견뎌하는 것은 그 괴로움을
없이하는 것이 아니라 조금씩 조금씩 더
어려움을 보태는 것이요, 끝내는 참아 견
디지 못하는 최악의 상태로 나아가게 할
뿐이다.

이슬람교에서는 고통이란 알라신이 정해준
운명이라고 가르친다.

한번 그대가 고통을 겪게 되면 그 고통
에서 빠져 나오지 못하므로 굴복하는 것만
이 그대의 의무이다. 신이 그대를 그렇게

만들어 주었으니 불평하지 말고 그대로 받
아들일 것이다.

이렇게 불교와 이슬람교에서는 고통에 대
한 해결책보다는 주어진 고통을 참아 견디라
고 가르친다.

그러면 그리스도교는 어떠한가? 그리스도
교도 마찬가지로 고통에 대한 어떤 해결책을
제시하지 않는다. 뿐만 아니라 고통에 대해
이렇다 저렇다 논쟁도 하지 않는다. 단지 예
수의 고통스런 수난과 죽음에 대해서만 이야
기할 뿐이다. 예수께서는 죽음의 권세를 꺾
기 위해서 이 세상에 오셨지만 죽음이나 고
통을 제거한 것은 아니라고 가르친다. 그렇
다! "예수께서는 고통을 치워버리려 오신 것
도 아니고 고통을 설명하려 오신 것도 아니
다. 그분은 당신의 현존으로써 고통을 채우
러 오신 것이다."(클로델) 예수께서는 비록
고통을 제거하지는 않으셨지만 고통을 겪는
우리를 위로해 주시고, 우리 삶에서 눈물을

없애지는 아니하셨지만 우리가 흘리는 눈물을 부드럽게 닦아주신다. 예수께서 제자들에게 하신 약속은 다음 세 가지이다. (1)이 세상에서 늘 곤란을 겪으리라는 것, (2)하지만 그들이 결코 홀로 있지는 않을 것이라는 것, (3)그들이 평화 중에 있을 것이라는 것이다. 이 세 가지 약속을 예수께서는 다음과 같은 말로 압축하신다. "여러분이 이 세상에서 환난을 겪겠지만 힘을 내시오. 내가 세상을 이겼습니다."(요한 16,33)

모진 수난과 죽음을 이기시고 부활하신 예수께서 자주 들려주시는 성서 말씀은 "두려워하지 말라."는 것이다. 이 말은 성서에 365번 나온다. 일 년은 365일이니, 하루에 한 번은 주님께서 이 말을 들려주시면서 우리를 위로하신다는 소리다. 주님의 "두려워하지 말라."는 말씀은, 우리 인생길에 어떤 어려움이나 장애물도 없을 테니 두려워하지 말라는 얘기가 아니다. 주님께서 두려워하지 말라고 말씀하시는 것은 당신이 우리의 앞길

을 편안히 만들었기 때문이 아니라 우리와
함께 인생길을 걸으시면서 갈 길이 험난할
때에도 계속 앞으로 나아갈 수 있도록 돌보
아 주시기 때문이다. 그러니 우리 종교가 고
통에 대해서 가르쳐 주는 유일한 말씀은 고
통 한가운데서도 우리는 주님과 함께 인생을
걸어간다는 것이다.

왜 모든 종교가 고통을 어떻게 피해야 하
는지 가르쳐 주지 않고 고통을 어떻게 받아
들여야 할지만 가르치는가? 왜 예수께서는
고통을 치워버리지는 아니하고 당신의 현존
으로 고통을 채우려만 하실까? 그것은 (1)고
통이 삶의 실재요, 삶의 실상이기 때문이며
(2)고통을 통해서 하느님과 진정한 관계를
맺게 되고 (3)하느님에 대한 바른 상(象)을
가질 수 있기 때문에 그러하다. 이 세 가지
점들을 하나하나 살펴보자.

고통은 삶의 실재

고통이 삶의 실재, 실상이라는 말은 곧 고통은 자연의 법칙이란 뜻이다. 성서는 고통이 인간 삶의 실재이며, 자연의 법칙임을 알려준다.

"인간은 아무도 자기 목숨을 자기 마음대로 하지 못한다. 아무도 꺼져가는 제 숨결을 붙잡지 못한다."(전도 8,7-8)

"당신이 앗아가면 그들은 한바탕 꿈, 아침에 돋아나는 풀과 같이 아침에 푸르렀다가 저녁에 시들어서 말라버리나이다."(시편 89, 5-6)

"인생은 풀과 같고, 들꽃 같은 그 영화 스치는 바람결에도 남아나지 못하고 다시는 그 자취도 찾아볼 길 없도다."(시편 102,15-16)

　이러한 성서구절들은 무상(無常)이 인간 삶
의 실상이고 자연의 법칙임을 알려준다. 무
상한 우리 인생에 영원한 안정이란 없다. 만
약 그 누군가가 참된 안정을 찾고 싶다면 생
의 무상성과 불안정을 맛보는 자리에서 찾아
야 할 것이다. 얼마나 역설적인 말인가! 하
지만 어쩔 수 없는 사실이다. 그 누구나 인
생살이에서 고통을 겪으며 사는 것은 인생
자체가 무상하기 때문이다. 그 누구도 이 세
상에서 충만된 안녕과 평화를 누리지 못한
다. 우리의 불안과 고통은 우리가 이 세상에
서 나그네요, 유한한 존재임을 깨닫게 해주
는 진리이다. 온전한 안녕과 영원한 평화는
하늘 나라에 가서나 가능할 것이다.

　고통이 자연의 법칙이라는 가르침은 다음
예에서 분명히 드러난다. 금붕어는 자연상태
에서는 보통 약 만 개의 알을 낳는다고 한
다. 그런데 어항 속에 있는 금붕어는 어떤
위험도 없이 적당한 온도와 충분한 먹이를
공급받는데도 3천 개 또는 4천 개의 알밖에

낳지 못한다고 한다. 왜 그럴까? 어항은, 고통이라는 자연법칙의 진리를 제공하지 않기 때문이다. 고통을 수반하는 삶이 자연의 삶이요, 건강한 삶인데, 어항 속의 금붕어는 삶의 실재를 잃어버린 것이다. 자연 속에는 위협과 불안이 있으므로 생존하기 위한 본능도 치열한 반면 어항 속에서는 모든 것이 보장되기에 생존키 위한 본능적 활력 또한 사라지기 때문이다.

또 다른 예를 들면 대양(大洋)에서 관상용 열대어를 잡아 전세계에 공급하던 한 회사는 열대어 수송 문제로 골머리를 앓고 있었다. 왜냐하면 아무리 좋은 수조 속에 열대어를 보관해도 수송 도중 절반이 넘게 죽는데다 그나마 수송에서 살아 남은 열대어들도 비실비실해 상품 가치에 문제가 생긴 때문이었다. 그 회사는 이 문제를 해결하기 위하여 온갖 노력을 다 기울였다. 심지어 열대어들이 살던 곳의 수초들과 모래와 암석을 수조 속에 집어넣어 주기도 하였다. 하지만 결과

는 언제나 마찬가지였다. 이 회사의 고민을
전해 들은 한 생태학자가 해결책을 냈다. 즉
수조에다 사나운 문어 한 마리를 넣고 바람
을 일으켜 물살을 만들라는 것이었다. 그러
면 열대어들이 생생하게 살아 있을 것이라고
했다. 그들이 생태학자 말대로 하였더니 놀
라운 일이 벌어졌다. 장시간의 수송을 끝내
고 육지에 도착하여 수조를 여니, 사나운 문
어는 물론이고 대다수의 열대어가 생생하게
살아서 움직이고 있었던 것이었다. 그 결과
를 생태학자에게 보고하니 그 생태학자의 반
응은 아주 간단했다. "물고기는 거센 물살을
거슬러 살아가야 합니다. 그리고 언제 자기
를 해칠지 모르는 무리 속에서 긴장하면서
살아야 합니다." 생태학자의 대답은 계속되
었다. "생명체는 너무 편하면 죽습니다. 항
상 긴장 속에 살아야 생명을 간직할 수 있습
니다."

맞는 말이다. 인간도 너무 편하면 생의 활
력을 잃고 죽어간다. 잘사는 나라, 복지정책

이 잘된 나라일수록 자살률이 높다. 보장된 사회 조건으로 고통이 제거되어 생존키 위한 본능도 없어지고, 삶의 활력도 시들어 버리는 것이다. 또 잘사는 집 아이들일수록 마약도 하고, 건전치 못한 행위에 빠지는 것이다.

고통은 자연의 실상이요, 법칙이기에 고통 없이는 성장할 수 없다. 충만된 생을 살아가기 어렵다. 찰스 코우만이란 사람의 이야기이다. 그는 애벌레가 나비가 되기 위해서 고치 구멍을 뚫고 나오는 광경을 긴 시간 관찰하였다. 나비는 작은 고치 구멍을 뚫고 나오려 몸부림을 치고 있었다. 코우만은 긴 시간 애를 쓰고 있는 나비가 안쓰러워서 가위를 가져다가 고치 구멍을 조금 뚫어주었다. 나비는 고치에서 쉽게 빠져 나왔다. 그는 이제 나비가 화려한 날개를 펼치면서 창공을 날아다니겠지 하고 기대하고 있었는데 나비는 날개를 질질 끌며 바닥을 왔다갔다하다가 죽어버리는 것이었다. 그 나비는 땅을 박차고 하늘을 향해 날아갈 만한 힘을 갖지 못했던 것이다. 나비는 작은 고치 구멍을 빠져 나오려 애쓰는 가운데 날개 힘을 키우게 되어 있는 데, 코우만이 값싼 동정으로 그 기회를 제거해 버린 것이다. 이 예화는 고통이 생에 왜 필연적이며, 성장 과정의 한 부분인지를 알려주는 사례이다.

우리 인간사를 보자면 온실 속에서 자라난 사람들이 사회생활을 제대로 하지 못하는 것과 유사하다. 이들은 생존경쟁의 삶이 주는 긴장을 견디지 못하고 무기력한 존재, 비참한 존재가 되어버리는 것이다. 이들은 쉽게 상처를 받으며, 그 상처는 쉽게 아물지 않는다. 한편 어렵게 살아온 사람들은 온실 속에서 자란 사람들과 다르다. 이들은 고통스런 문제가 생기면 도망가지 않고 맞서며, 그 고통의 실재를 만져보며, 최선을 다해 문제를 처리한다. 또 다른 사람을 비난하지 않고 자기 책임은 자기가 지려고 한다. 그리하여 그들은 고통을 통하여 성장하고 열매를 맺는다. 이러한 사람들은 니체의 말처럼, 그들을 죽이지 못한 것은 그들을 더욱 굳세게 만들 뿐이다.

하느님과 진정한 관계 맺음

고통을 통해서 하느님과 진정한 관계를 맺을 수 있다는 말은 무슨 뜻인가? 이 질문에 답하기 위해서 또 다른 질문을 해보자. 삶에 고통이 없다면 과연 우리는 어떻게 살아갈까? 과연 하느님을 하느님으로 모시며, 이 세상은 우리가 영원히 머물 수 있는 곳이 아니요, 여인숙에 불과하다는 생각을 가질 수 있을까?

C. S. 루이스는 「고통의 문제」란 책에서 "어떤 사람들은 고통스런 일이 생기기 전에는 하느님께 귀를 기울이지 않는 습성이 있다. 그러므로 고통이란 귀머거리에게 알아듣도록 만드는 하느님의 확성기이다."라고 말한다. 루가복음 15장에 나오는 '대자대비하신 아버지와 돌아온 탕자의 비유'에서 집

을 떠난 둘째아들이 만약 굶주림의 체험을
하지 않았다면 집으로 돌아올 생각을 전혀
하지 않았을 것이다. 그가 집으로 돌아온 것
은 배가 고팠고 삶이 고통스러웠기 때문이
다. 고통을 통해서 하느님 아버지께 마음을
열게 된 것이다.

우리가 하느님에게 돌아오게 되는 것도 고
통 때문이다. 고통 앞에서 우리 자신이 얼마
나 무능한지를 깨닫고, 또 고통 앞에서 우리
가 할 수 있는 것이 별로 없다는 것을 깨달
을 때 하느님께 살려 달라 외치는 것이다.
이런 맥락에서 고통은 세상사에 정신을 뺏기
고 있는 인간들을 일깨워 하느님과의 진정한
관계를 재정립하도록 도와주는 도구이다. 고
통은 우리 삶에서 무엇이 틀렸는지, 어떤 변
화가 필요한지를 알려주는 은혜로운 도구이
다. 우리가 만약 고통을 체험할 수 없다면
문제점을 감지하고 개선을 향한 새로운 선택
을 할 수 있는 기회를 잃어버리게 된다. 많
은 사람들이 큰 고통을 겪고 나서 사물을 보

는 눈이 달라지는 것도 이 때문이다.

하느님에 대한 바른 상(象)

우리는 고통을 통해서 하느님에 대한 바른 상(象)을 갖게 된다. 욥은 혹독한 고통을 겪은 뒤에야 다음과 같이 말할 수 있게 되었다. "전에 나는 당신에 대해서 들었습니다. 하지만 지금은 당신을 봅니다."(욥 42,5) 고통을 겪기 전부터 욥은 의로운 사람이었다. 그는 전 생애를 통하여 하느님을 믿었고 하느님께 기도하였다. 하지만 그가 하느님을 보게 된 것은 고통을 통해서이다. 욥은 고통의 바다를 건넌 뒤에야 비로소 "전에 나는 당신에 대해서 들었습니다. 하지만 지금은 당신을 봅니다."라고 말할 수 있게 된 것이다. 그렇다! 고통을 겪으면서, 모진 고통을 겪으면서 인간은 하느님을 본다. 우리 중 얼마나 많은 이들이 고통을 통해서 하느님을 깊이 만나고 새로운 생을 살아가는지 모른다.

고통의 눈물을 흘리는 것은 아프고 힘겨운 일이지만 그 눈물이 영혼의 눈 속에 끼여 있던 먼지를 깨끗이 씻어주어 하느님을 보게 하는 것이다.

하지만 모든 이가 고통을 통해서 하느님을 보는 것은 아니다. 어떤 이들은 고통을 통하여 차가우신 하느님, 잔인하신 하느님을 본다. 고통을 겪기 전에는 하느님을 사랑과 자비의 하느님으로 알고 있었는데, 고통을 겪으면서 하느님 인상이 바뀌는 것이다. 고통의 무의미성 앞에서 납득할 만한 대답을 얻지 못하면서 하느님에 대한 기존의 관념을 바꾸는 것이다.

독실한 가톨릭 신자였던 C. S. 루이스는 자비와 사랑의 하느님을 믿으면서 한평생을 독신으로 살아왔던 사람이다. 그는 늦은 나이에 사랑하는 사람을 만나 결혼하였는데, 그의 부인이 얼마 안 되어 병으로 죽는다. 그는 사랑하는 아내를 갑작스레 잃고 나서 하느님께 간절히 매달리면서 위로받으려 한

다. 하지만 그가 하느님으로부터 받은 느낌
은 냉랭한 무관심과 하느님의 차가운 침묵이
었다. 이러한 체험은 그가 전에 하느님에 대
해서 가졌던 좋은 인상을 뒤집어 놓았다. 하
느님은 더이상 자비로운 하느님이 아니었다.
루이스는 나중에 사별(死別)의 고통에서 헤어
난 뒤 다음과 같이 고백하였다.

> "고통 중에서 정말 위험한 태도는 더이
> 상 하느님을 믿지 않거나 하느님이 존재하
> 지 않는다고 결론 내리는 것이 아니라 하
> 느님이 잔인한 분이라고 여기는 것이다."

고통 중에서 잔인한 하느님, 인간을 치시
는 하느님을 보기는 정말 쉽다. 역시 가톨릭
신자인 소설가 박완서씨도 남편을 사별한 뒤
불과 1년도 안 되어 외아들을 잃게 되자 하
느님을 잔인한 하느님으로 보게 된다. 마취
과 전문의 과정 중에 있던, 미래가 창창했던
26살밖에 안 된 외아들이 죽자 발작하다시피

되어 십자가를 땅바닥에 내팽개치기까지 하
였다. 십자가를 바라보고 있노라면 너무도
화가 나서 그것을 내팽개치지 않을 수 없었
던 것이다. 아들을 데리고 간 하느님을 도저
히 받아들일 수가 없어 수많은 날을 하느님
을 원망하고 증오하였다. 그 원망과 증오의
말을 들어보자.

"온종일 신을 죽였다. 죽이고 또 죽이고
일백 번 고쳐 죽여도 죽일 여지가 남아 있는
신, 증오의 마지막 극치인 살의(殺意), 내 살
의를 위해서도 신은 있어야만 해."

하지만 박완서씨 자신이 얘기하듯이 그 원
망과 울부짖음은 하느님이 계심을 믿기에 할
수 있는 행위였다. 가장 강한 부정은 가장
강한 긍정을 전제하는 것이다. 하느님은 피
조물에게 생명을 주는 분이시기에, 그 하느
님에게 책임을 물으며 울부짖었던 것이다.
먼 훗날 상처가 어느 정도 아물게 되었을 때
그녀는 다음과 같은 고백을 하였다.

"만일 그때 나에게 포악을 부리고 질문을

던질 수 있는 그분조차 안 계셨더라면 나는 어떻게 되었을까 가끔 생각해 봅니다. 살긴 살았겠지요. 사람 목숨이란 참으로 (질기고) 모진 것이니까요. 그러나 지금보다 훨씬 더 불쌍하게 살았으리라는 것만은 (눈에) 환히 보이는 듯합니다."

우리가 아무리 고통스런 처지에 놓여 있다 하더라도 하느님을 떠나거나 자살을 해서는 안 된다. 하느님을 향하여 삿대질을 해대고, 원망하고, 십자가를 내팽개친다 하더라도 하느님을 저주하고 떠나서는 안 된다. 무슨 일이 있어도 하느님 앞에 머물러 있을 때 언젠가는 지난날의 고통을 하느님 앞에서 정리하게 될 것이다. 그렇게 되는 날 우리가 겪었던 고통은 구원적이요, 신학적인 체험으로 바뀔 것이다. 그러니 하느님을 떠나거나 자살을 해서는 안 된다.

C. S. 루이스나 박완서씨의 체험은 절실한 고통이 평소 우리가 하느님에 대하여 갖고 있었던 관념들을 얼마나 뒤집어 놓는지를 보

여주는 대표적인 예들이다. 다음 글은 막스 루카도(Max Lucado)의 '깨어진 창을 통해 하느님 보기'라는 글이다. 이 글 역시 하느님을 향한 평소의 우리 인상이 고통을 통해서 얼마나 쉽게 바뀌는지를 보여준다.

우리는 우리 마음의 창을 통해서 하느님을 바라본다. 언젠가 그 마음의 창은 순백하리만큼 깨끗하였다. 하느님의 모습도 또렷하게 보였다. 맑고 평화로운 날, 언덕이나 골짜기를 보듯이 하느님을 투명하게 볼 수 있었다. 유리는 깨끗하고 창틀은 온전했다. 우리는 하느님을 알고 있었고, 하느님이 어떻게 우리를 돌보고 계시는지 알고 있었다. 또 하느님이 우리에게 바라는 것이 무엇인지도 알고 있었다.

그런데 어느날 갑자기 마음의 창이 깨졌다. 돌멩이 하나가, 고통의 돌멩이 하나가 날아와서 우리 마음의 창을 깨버렸다. 고통의 돌멩이는 여러 가지일 수 있다. 사별

일 수도 있고, 이혼일 수도 있고, 사고일 수도 있고, 병일 수도 있고…중요한 것은 언젠가 고통의 돌멩이가 날아와서 우리 마음의 창을 산산조각 낸다는 사실이다. 그러고는 계속해서 돌멩이들이 날아온다는 사실이다.

그 돌멩이가 어떤 돌멩이든 결과는 같은 것이니, 마음의 창이 계속해서 깨진다는 것이다. 마음의 창틀을 박살내고 유리창들을 조각낸다는 것이다. …깨어진 창을 통하여 하느님을 보기는 쉽지 않다. 이전에 그렇게 똑똑하게 보였던 하느님이 이제는 조각나 보이는 것이다. 깨진 조각들은 제각기 하느님의 모습을 전체적으로 보여주지 못하고 굴곡시켜 보여준다. …조각난 마음, 상처난 마음을 갖고 하느님을 본다는 것은 참으로 참으로 어려운 일이다.

고통은 하느님이 거는 '도박'

고통의 시간은 하느님 편에서 볼 때는 '도박의 순간'일지도 모른다. 하느님께서 우리에게 고통이 있거나 없거나 변함없이 당신을 바라보길 원하신다면 고통의 시간은 분명 엄청난 도박의 순간이다. 사실 그렇다! 욥기를 읽어보면, 의인이었던 욥이 엄청난 시련을 겪기 전에 나오는 이야기는 욥이 받은 고통이 하느님 편에서 큰 도박이었음을 알 수 있게 한다. 사탄이 하느님께 제의한다.

"욥이 어찌 아무것도 바라는 것이 없이 하느님을 경외하겠습니까? 주님께서 그에게 복을 넘치도록 베풀어 주지 않았습니까? 하지만 주님께서 손을 들어 그가 가진 모든 것을 치시면, 그는 주님 앞에서 주님을 저주할 것입니다."(욥 1,9-11)

하느님은 사탄의 이 도전적인 말 앞에서 욥의 신앙이 결코 계산적이거나 조건적인 것이 아님을 보여주기 위해 사탄에게 응답하신다. "욥이 가진 모든 것을 너에게 맡기겠다."(욥 1,12) 하느님은 욥이 당신에게 보여줄 역설적 신앙에 기대를 걸면서 큰 도박을 하신 것이다. 참혹한 고통 중에서도 욥이 당신을 여전히 찬미할 것인지 신앙의 도박을 거는 것이다. 하느님의 이 도박은 가장 절망적인 고통의 자리에서도 하느님을 향한 절대적 신뢰와 의탁의 마음을 잃지 않기를 바라시는 도박이다.

2
어떻게 고통을 해결할 것인가?

　지금까지 우리는 성서가 고통의 원인을 어떻게 설명하는지, 인간 실존은 고통의 본질을 어떻게 설명하는지 등에 대해 살펴보았다. 이제부터는 새로운 주제 '어떻게 고통을 해결할 것인가?'에 대해 생각해 보겠다.

　어떻게 고통을 해결할 것인가에 대답은 간단하다. 우리는 고통을 해결할 수 없다는 것이다. 슬프게도 고통은 해결되는 것이 아니기 때문이다. 고통은 받아들이느냐 받아들이지 않느냐 하는 문제이지, 해결하느냐 해결하지 못하느냐 하는 문제가 아니다. 앞서 언급한 대로 고통은 인간 실존이요, 자연의 법

칙이기에 그렇다. 이미 말한 대로 우리가 믿
는 종교는 고통을 어떻게 피해야 할지를 가르
쳐 주지 않고, 어떻게 받아들여야 할지만을
가르쳐 줄 뿐이다.

　고통은 받아들이는 것이다. 고통을 받아들
일 때 우리는 고통 안에서 쉴 수 있게 된다.
고통을 받아들일 때 고통스런 상황은 그대로
존재하지만 평화의 자리가 마련되는 것이다.
아주 분명한 예를 부처님 일화에서 볼 수 있
다. 외아들을 잃고 절망해 제발 자기 아들을
살려 달라고 간청하는 과부에게 부처님이 말
하였다. "내가 네 아들을 살려줄 터이니 가
서 해바라기 씨앗을 하나 얻어 오라. 단 해
바라기 씨앗을 얻어 오되 한번도 죽음을 겪
어보지 않은 집에서 얻어 와야 하느니라."
외아들을 잃고 황망한 그 과부는 부처님의
말씀이 무슨 뜻인지 헤아릴 틈도 없이 이집
저집 미친 듯이 돌아다니며 해바라기 씨앗을
찾았지만 죽음의 아픔을 겪지 않은 집은 하
나도 없었다. 그리고 마침내 진리를 깨닫게

되어 마음의 평화를 얻고 부처님께로 돌아와 불법을 따르는 제자가 된다. 그렇다! 우리가 고통을 받아들일 때 고통 한복판에서도 평화를 누리게 된다. 어려운 삶 속에서도 희망을 갖게 된다. 하지만 고통을 받아들이지 않을 때 우리는 절망하게 된다. 그리고 그 고통은 끊임없이 우리를 괴롭힐 것이다.

고통을 감내함

고통을 가슴에 품고 살아간다는 것은 예수께서 우리에게 당부하신 말씀, "누가 내 뒤를 따라오려면 자기 자신을 버리고 날마다 제 십자가를 지고 나를 따라야 합니다."에 기초한 것이다. 필자의 졸저 「광야에 선 인간」에 기술한 바 있듯이 십자가는 끌고 가는 것이 아니라 안고 가는 것이다. 십자가를 안고 가라는 예수 그리스도의 명령은 고통 앞에서 무릎을 꿇고 살아가지 말고 맞서 극복하라는 것이다. 이 점에 대해서 정신의학자

투르니는 다음과 같이 말한다.

그리스도교는 자신의 십자가를 단순히 지고 가라고만 가르치는 것이 아니라 오히려 기쁘게 지고 가라고 가르친다. 그리스도교는 단순히 자기 운명을 받아들이라고만 가르치는 것이 아니라 오히려 자기 운명에 대해서 아무리 그것이 힘들고 가슴아픈 일이라고 할지라도 사랑하라고 가르친다.

충만한 삶은 충만한 고통을 바탕으로 이루어진다. 우리가 고통을 감내하고 안기를 회피한다면 삶에서 많은 것을 잃게 될 것이다. **고통을 회피함으로써 삶을 더욱 생기있고 의미있게 만들어 줄 수 있는 많은 것들을 상실하게 된다.**

고통도 기쁨도 모두 삶의 한 부분이다. 살아 있지 않다면 고통도 갈등도 역경도 없을 것이다. 무덤에 가보라. 그곳에는 고통도 역경도 갈등도 없다. 주님의 뜻은 우리가 삶의 풍파 앞에서 무릎을 꿇고 살아가는 것이 아니라 대면하면서 극복하는 것이다. 십자가를 안고 가도록 명한 것이다.

나아가 우리가 고통을 인내하고 안기를 거부한다면 자신의 영원한 생명조차도 제외시킬지 모른다. 주님께서는 매일같이 자신의 십자가를 안고 당신을 따라야 한다고 했는데, 그 십자가를 거부하니 끝내는 주님께서 주고자 하는 영원한 생명도 거부할 수 있는 것이다. 다음의 우화(寓話)는 우리에게 주어진 고통을 일상 안에서 기꺼운 마음으로 안고 가야 함을 가르쳐 준다.

어떤 사람이 십자가를 지고 목적지를 향해 걸어가고 있었다. 주위를 보니 다른 사람들도 십자가를 지고 가고 있었다. 그리고 십자가를 지고 가시는 예수님의 모습도 보였다. 각 사람이 지고 가는 십자가가 다들 커서 그런지 모두가 땀을 뻘뻘 흘리며 지고 가고 있었다. 이 사람도 자기의 십자가를 열심히 지고 가려 하였다. 그런데 시간이 갈수록 무거워져 도저히 감당할 수가 없었다. 그래서 그는 예수님께 청하였다. "예수님, 이 십자가가 저에게는 너무나 벅차고 무거우니 조금만 잘라주십시오." 예수께서는 기꺼이 그 사람의 십자가를 잘라주었다. "그래, 이만하면 되겠느냐?" 하시면서. 그 사람은 머리를 조아려 예수께 감사하다고 하고 훨씬 가벼워진 십자가를 지고 걸어갔다. 그런데 얼마 후 그는 다시 예수께 십자가를 조금만 잘라 달라고 하였다. 언제나 우리의 자유를 존중하시는 예수께서는 기꺼이 그의 부탁을 들어주었다. 이제 그의 십자가는 땅에 끌지 않아도 될 정도로 가뿐하고 작아졌다. 그리하여 그는 발걸음도 가볍게 지고 갔다. 그러나 시간이 지나자 다시 무거워졌다. 그는 다시 예수께 가서 마지막 부탁이니 아주 짧게 십자가를 잘라 달라고 했다. 예수께서는 그의 부탁대로 십자가를 잘라주었는데, 이제는 하도 작아서 십자가를 지고 가는 것이 아니라 손가락으로 뱅글뱅글 돌릴 수 있는 정도가 되었다. 그는 콧노래를 부르고 휘파람을 불면서 십자가를 가지고 갔다. 그러면서 땀을 뻘뻘 흘리며 십자가를 지고 가는 이들을 보며 미련하다고 생각하였다. "나처럼 주님께 십자가를 잘라 달라고 할 것이지, 자기들이 뭐 성인이라고." 하고 중얼거렸다. 한참을 걸어가니 깊은 골짜기가 나타났는데 그 골짜기에는 다리가 없었다. 그래서 사람들은 각자 지고 온 십자가를 다리 삼아 놓고 건너갔다. 그런데 이 사람의 십자가는 너무 작아서 걸쳐볼 생각도 할 수 없었다. 염치없지만 그는 앞서 가는 예수님을 소리쳐 불렀다. 하지만 예수님과 다른 일행은 너무나 멀리 가 그의 절망적인 소리는 가 닿지도 못하고 메아리만 되돌아 올 뿐이었다.

우리의 신앙과 영성이 얼마나 순수한지는

우리가 십자가를 어느 정도 실감하고 대면하
면서 책임있게 안고 가는가를 보면 알 수 있
다. 십자가 없는 삶을 살아간다면 (그럴 리
야 없겠지만) 자신을 한 번쯤 되돌아봐야 한
다. 구도자의 삶은 한평생 재를 지키듯이 살
아가는 삶이요, 십자가를 적극적으로 안고
살아가는 삶이다. 사도 바오로는 고통을 적
극적으로 수용한 가장 대표적 인물이다. 그
는 "나는…모욕과 빈곤과 박해와 곤궁을 달
게 받습니다."(2고린 12,10) "나는 온갖 고통
을 겪으면서도 큰 위안을 받고 기쁨에 넘쳐
있습니다."(2고린 7,4)라고 말한다. 어떻게
이런 삶을 살 수 있을까? 그의 말에서 중심
이 되는 단어는 '그리스도를 위해서'이다.
바오로는 그리스도의 고통을 함께 나누었다.
영원한 생명을 주시는 예수 그리스도를 위해
서 고통을 적극적으로 수용하는 것이다.

　고통을 적극적으로 받아 안는다는 것이 무
엇인지를 보여주는 주님의 말씀이 있다. "누

가 억지로 오리를 가자고 하거든 십리를 가
주어라." 예수께서 사셨던 당시 이스라엘은
로마의 통치를 받고 있었다. 당대 로마법에
의하면 로마 군인들이 짐을 나를 때 점령지
의 백성들을 시켜서 오리를 짊어지고 가게
명령할 수 있는 권리가 있었다. 유다인들은
이 명령에 대해서 분개했지만 약자로서 복종
치 않을 수가 없었다. 그래서 이러한 사역에
끌려간 유다인들은 로마인들이 못 알아듣는
히브리 말로 로마인들을 저주하면서 짐을 날
랐을 것이다. 그런데 예수께서는 오리가 아
니라 십리까지 가주라고 한 것이다. 기막힐
일이 아닌가. 그것도 저주를 하면서가 아니
라 좋은 마음으로 기꺼이 짐을 날라주라는
것이다. 이러한 태도가 강제로 일을 시킨 로
마 군인들에게는 당연한 것일지 모르지만 유
다인들에게는 변화를 줄 것이기 때문이다.
오리를 가라고 명령한 로마 군인에게 스스로
오리를 더 가면서 봉사해 주겠다고 한다면,
로마 군인이 뭐라고 하든 그 사람은 잃을 것

이 하나도 없다. 오리를 더 가겠다고 함으로
써 그는 더이상 상황의 희생자가 아니라 주
인이 된다. 오리를 더 가줌으로써 상황의 주
인이 된다는 사실보다도 더 의미있는 것은
그가 자기 자신의 주인이 되고 자신의 내적
원천의 주인이 된다는 것이다.

하느님의 시간표 안에서 고통을 견딤

통상 우리가 고통 앞에서 울부짖으며 하는
물음은 "얼마나 더?"이다.

"얼마나 더 이 병을 견뎌야 하나?"

"얼마나 더 경제적인 압박을 받으며 살아
야 하나?"

"얼마나 더 이런 결혼생활을 견뎌야 하
나?"

이러한 물음에 대해서 하느님은 어떻게 대
답하실까?

"그래, 2년만 더 아프렴."

"10년만 더 재정적 압박을 받으렴."

"평생 고통스런 결혼생활을 하렴." 하실까?

하지만 다행히도 하느님께서는 이런 식으로 대답하지 않으신다. 하느님께서는 인간의 삶이 본질적으로 무엇인지를 가르쳐 주실 뿐, 우리의 "얼마나 더?"라는 질문에는 대답하지 않으신다. "얼마나 더?"에 대해 하느님께서 대답하신다면 그것은 다음과 같을 것이다.

"아무 희망도 없이 떠도는 (저희) 모습은 마치 땅 위를 스쳐가는 그림자 같았습니다."(1역대 29,15)

"인간의 생애는 품꾼의 나날과 같지 않은가?"(욥 7,1)

"인생이란 단 한 번의 날숨 같으오이다."(시편 38,12)

"(인간은) 잠깐 나타났다가 사라져 버리는 안개에 지나지 않습니다."(야고 4,14)

"꽃처럼 피었다가는 스러지고 그림자처럼 덧없이 지나갑니다."(욥 14,2)

"인생은 풀과 같고 들꽃 같은 그 영화 스
치는 바람결에도 남아나지 못하고 다시는 그
자취도 찾아볼 길 없도다."(시편 102,15 - 16)

하느님의 대답은 우리 생이 참으로 무상(無
常)하고 순식간에 사라진다는 것이다. 우리
의 나날은 "베틀의 북보다도 더 빠르게 덧없
이 사라져 간다."(욥 7,6) 하느님의 대답은
우리 인생이 짧기에 우리가 겪는 고통도 곧
끝날 것이라는 것이다.
  그러니 고통 앞에서 우리는 "얼마나 더?"
라는 질문을 하기보다는 하느님의 시간에 맞
추어 하느님께서 고통 중에서도 우리를 이끌
어 주시도록 우리 자신을 맡길 일이다. 성서
는 말한다. "야훼께서 건져주시기를 조용히
기다리는 것이 좋은 일이다."(애가 3,26)

  고통을 받아들임

  그러므로 '고통스런 것은 인간적이다.'라

는 진리를 인정하고 삶의 의미를 찾도록 하
자. 인간이면 누구나 고통을 겪는다. 무지한
이도, 깨달은 이도 다 고통을 겪는다. 다만
차이가 있다면 깨달은 사람은 고통 때문에
자기의 삶 전체가 영향받고 엉망진창이 되지
않는다는 점이다. 다음은 드 멜로 신부가 들
려준 이야기이다.

한번은 수련승이 깨달음을 얻은 스승에
게 물었다. "깨닫고 나니 어떻습니까?" 스
승이 대답하였다. "깨닫기 전에는 삶이 고
통스러웠는데, 깨닫고 나서도 삶이 고통스
럽구나. 하지만 깨닫기 전에는 고통 때문
에 심란하였는데 깨달음 뒤로는 심란치 않
구나."

우리 인간 삶에는 고통이 언제나 존재하지
만 깨달음을 얻은 이는 그 고통 속에서도 심
란치 않다. 어떠한 고통 속에서도 그들은 빼
앗기지 않는 기쁨을 누린다.

많은 사람들이 문제가 생기면 그것이 해결
되기 전에는 아무것도 못 한다는 말을 한다.
죽을 때까지 고통은 우리 삶을 떠나지 않을
것인데, 고통거리가 생기면 그것이 해결되어
야만 평화가 다시 오는 줄로 착각한다. 그리
하여 고통에 늘 잠겨 있다. 고통이 있을 때
는 고통이 있는 것을 당연하다고 생각하고
마음을 다른 쪽으로 돌려야 한다. '타타타'
라는 노래 가사 중에 다음과 같은 구절이 있
다. "우리네 인생살이, 한세상 걱정조차 없
이 살면 무슨 재미 있나?" 걱정은 인생살이
에 재미로 붙여진 덤이 아니냐는 이 노래 가
사가 의미심장하다. 많은 사람들이 삶의 풍
파로 인한 근심 걱정은 오히려 인생의 재미
라는 말에 쉽게 동감하지 못할 것이다. 그래
서 또 다른 예문을 들어본다.

하는 일마다 제대로 되는 게 하나도 없
어 실의에 잠긴 어떤 사람이 고명하다는
랍비를 찾아가 물었다. "매사 하는 일에서

절반도 제대로 되는 일이 없으니 어떻게 해야 좋을지 모르겠습니다. 지혜를 내려주십시오." 랍비는 그에게 "뉴욕타임스 지 1970년도판 930면을 찾아 읽으시오. 그곳에 지혜가 적혀 있을 것입니다." 하였다. 그 사람은 부리나케 집에 돌아와 신문을 찾아 읽었다. 그런데 랍비가 읽으라고 한 면에는 그해 야구선수들의 타율이 나와 있을 뿐이었다. 이것이 무슨 지혜가 되는지 몰라 고민하던 그는 다시 랍비에게 가서 물어보았다. 그러자 랍비는 최강 타자의 타율이 얼마로 나와 있더냐고 물었다. 그러자 그 사람은 "3할 6푼 7리로 나와 있습니다." 하고 대답하였다. 그러자 랍비가 "바로 그걸세. 최강 타자라 해도 3타석 1안타에 불과하네. 그런데 자네는 하는 일의 반 정도는 이루어진다니 5할대가 아닌가! 만약 야구선수들의 타율이 10할대라면 무슨 재미로 야구를 하고 또 무슨 재미로 야구 구경을 하겠는가? 인생도 야구와 같

은 것이지. 모자람이 있어야 세상을 살아
가는 의욕도 생기고 재미도 있는 법이라
네."

랍비가 한 마지막 말, "모자람이 있어야
세상을 살아가는 의욕도 생기고 재미도 있는
법이라네."는 '타타타' 노래의 "우리네 인생
살이, 한세상 걱정조차 없이 살면 무슨 재미
있나?"와 같은 말이 아닌가!

고통거리가 있어도 우리는 삶을 온유하게
대할 줄 알아야 한다. 고통이 해결되지 않았
어도 웃을 수 있어야 한다. 해결되지 않은
고민거리가 있다 해도 웃을 수 있어야 한다.
고통만으로 생이 점철되어서는 안 된다. 고
통에 파묻혀서 인생을 탕진하며 보낼 수는
없다.

웃고 있는 예수님 그림이 있다. 이 그림의
예수님은 머리를 뒤로 젖히고, 입은 크게 벌
리고 웃고 계시다. 그냥 미소만 짓는 것이
아니라 소리를 내어 웃고 계시다. 숨도 쉬기

어려울 만큼 크게 웃고 계시다. 예수께서는
늘 고통스런 인간들에게 둘러싸여 계시지만
생의 경이로움을 놓치면서 살아가신 적은 없
다. 웃는 예수를 따라가는 제자인 우리도 무
슨 일이 있어도, 어떤 고통 속에 있다 하여
도 삶의 의미를 찾아야 한다.

인간은 환경의 영향을 받는다. 한 인간을
둘러싸고 있는 환경이 어떠냐에 따라서 행복
하게 살 수도 있고 불행하게 살 수도 있다.
마을 근처에 있는 나무들은 깊은 산에 있는
나무들처럼 크게 자랄 수가 없다. 환경 때문
이다. 나무들이 좀 자랐다 하면 사람들이 와
서 베어가기 때문이다.

'인간은 환경적 동물이다.'라는 말이 항상
옳은 것은 아니다. 우리가 어떤 환경에 놓여
고통을 겪는다 하더라도 우리에게는 선택의
여지가 있다. 내적인 자유를 갖고 의미있는
삶을 찾아 행위하고 안 하고는 우리 선택에
달려 있다. 빅토어 프랑클은 이 점에 대해
많은 연구를 한 사람이다. 그는 나치 집단

수용소에서 3년간 수인(囚人)생활을 하다 가스실에 들어가기 직전에 살아난 정신과 의사이다. 그는, 인간은 어떠한 환경에서도 자신의 영적 자유와 의지의 존귀함을 보존할 수 있다고 주장한다. 다음은 그가 한 말이다.

언제나 선택의 여지는 있다. 하루, 매시간 선택의 여지는 있다. 당신의 내적 자유를 빼앗아 가려 위협하는 환경에 굴복당할 것인지 아닌지에 대한 선택의 자유는 당신에게 달려 있다. …집단 수용소의 조건이 열악하고, 잠도 부족하고, 음식도 불충분하고, 알 수 없는 운명에 대한 심적 불안감도 크지만 그러한 환경에서도 선택할 수 있다. …인간으로서 존엄성을 보존할 수 있다. 도스토예프스키는 말하였다. "내가 두려워하는 것이 하나 있으니 그것은 내가 내 고통에 맞갖지 못할까이다." 이 말을 나는 집단 수용소 삶에서 자주 내 자신에게 들려주었다. 이 말과 함께 고통과 죽음이 눈앞에 펼쳐지는 집단 수용소에서도 마지막까지 나의 내적 자유를 잃어버릴 수 없다는 것을 결심하였다.

활기에 차고, 평화로운 삶의 조건이 갖추어지지 않았을 때에도 우리는 삶의 의미를 찾을 수 있다. 창조적인 삶과 즐거움을 누리는 삶만이 의미있는 삶은 아니다. 우리 생의 모든 것이 의미가 있다. 고통스런 삶도 그렇다. 고통은 결코 제거할 수 없는 우리 삶의 한 부분이다. 고통과 죽음 없이 인간의 삶이 완성될 수는 없다.

고통 속에서 별로 의미를 찾지 못하면 우리는 마치 고통의 희생물이라도 되는 것처럼 여긴다. 그러나 역경 중에서도 의미를 찾게 되면 고통은 우리의 성장과 변화를 위한 디딤돌이 된다. 형들의 시기 질투로 인하여 이집트에 종으로 팔려갔던 요셉이 훗날 이집트의 재상이 되어 형들을 만났을 때 했던 말, "하느님께서 나를 형님들보다 앞서 이곳으로

보내신 것은 형님들의 종족을 이 땅에 살아
남게 하시려는 것이었습니다."(창세 45,7) 이
말은, 요셉이 운명의 단순한 수동적 희생물
이 아니라 커다란 운명이라는 수레의 적극적
인 참여자임을 나타낸다. 성 아우구스티노는
"하느님은 악을 허락하시지만 이는 그것을
더욱 큰 선으로 바꾸어 놓으시기 위함이다."
라고 하셨다. 그러니 삶의 의미를 찾고 고통
을 받아들여야 한다.

실제의 고통과 상상의 고통

실제의 고통과 상상 혹은 가상의 고통을
구분해야 한다. 실제의 고통은 온몸으로 껴
안아야 하지만, 상상에 의한 고통은 철저히
피해야 한다.

심리학자인 채준호 신부는 "하루에 한 시
간만 걱정합시다. 그리고 나머지 시간에는
걱정거리를 잊읍시다."라고 한다. '한 시간
걱정'은 실제의 걱정거리를 말한다. 그러나

나머지 걱정거리는 다 상상에 의한 걱정거리다. 그 근거는 다음과 같다.

우리 하루의 삶은 이 걱정 저 걱정, 온갖 상상에 의한 걱정거리로 가득차 있다. 시누이 때문에 신경 쓰고, 한 달 후에 지불할 돈 때문에 신경 쓰고…그러다가 자식이 아프면 다른 걱정은 까맣게 잊어버린다. 자식이 중병에 걸리면 다른 걱정은 눈에 들어오지도 않는 것이다.

자식이 중병에 걸린 것은 실제적 걱정이지만 시누이에 대한 신경 쓰임이나 한 달 후에 지불할 돈은 상상에 의한 걱정이다. 우리 하루의 삶은 온통 상상에 의한 걱정거리로 가득차 있다. 지갑에 잔돈은 없이 종이돈만 있다고 걱정이고, 점심으로 갈비탕을 먹는 게 좋은지, 비빔밥을 먹는 게 좋은지 걱정하고, 자녀가 국제 결혼을 하면 어쩌나 걱정하고… 오죽했으면 푀멘 교부는, "인간은 새 하늘과 새 땅에서도 걱정거리를 안고 다닐 것이다." 라고 말했을까!

이제 우리는 채준호 신부의 말대로, 하루
에 한 시간만 집중적으로 근심 걱정을 하고,
나머지 시간에는 일체 걱정거리를 잊겠다고
결심하여야 한다. 실제로 랭크(Arthur Lank)라
는 사람이 그렇게 살아갔다.

그는 사업가로서, 사업과 관련해서 항시
걱정하면서 늘 초조하게 살아가고 있었다.
그러한 삶이 그에게 행복과 보람을 가져다
줄 리가 없었다. 한번은 그에게 깨달음과 같
은 생각이 떠올랐다. 그것은 일주일 내내 고
민거리에 잠겨 있기보다는 하루를 아예 택하
여 그날 집중적으로 고민하자는 것이었다.
그는 수요일을 고민의 날로 정했다. 그래서
수요일이 아닌 다른 날 근심거리가 떠오르면
즉시 근심거리 내용과 그 날짜를 적어 상자
안에 넣었다. 그리고 수요일이 되면 상자를
열어서 그 안에 있는 종이들을 꺼내 읽으면
서 집중적으로 고민하였다. 그런데 놀라운
일은 상자 속에다 걱정거리들을 써넣을 때는
분명 그것이 걱정이 되어서 써넣은 것들인

데, 정작 수요일에 꺼내어 읽어보면 대다수
가 걱정거리로 다가오지 않았다는 점이다.

실제적 고통과 가상적 고통을 구분하고 더
이상 가상적 고통을 가지고 시간을 보내지
않도록 다른 방법 하나를 더 소개하겠다. 미
국의 강철왕 카네기가 쓴 방법이다. 그는 근
심거리로 머리가 복잡해질 때마다 다음과 같
이 했다고 한다. 먼저 연필과 종이를 준비한
뒤에 마음을 차분히 가라앉히고 다음 네 단
계로 문제를 풀어 나갔다는 것이다. (1)지금
염려하고 있는 문제가 무엇인지 구체적으로
종이에 적는다. 그러면 상당 부분이 가상적
염려라는 사실을 깨닫게 된다. 그런 부분들
은 다 제거해 버리고 지금 당장 문제가 되는
실제적 문제들을 골라낸다. (2)실제적 문제
가 되는 것들을 해결하기 위해서 구체적으로
할 수 있는 것이 무엇인가 종이 위에 적는
다. (3)자기가 할 수 있는 일들 가운데서 무
엇을 먼저 해야 하고 무엇을 나중에 해야 하

는지 그 우선순위를 적는다. (4)우선순위에 따라서 문제를 해결하기 위하여 최선을 다한다.

건강하게 살아가는 이들은 하나같이 우선순위를 정해놓고 하루를 살아간다. 그냥 시간 흘러가는 대로 되는 대로 살아가지 않는다.

다음 글은 켄터키에서 살다 돌아가신 나딘 스테어란 할머니가 85세 때 쓴 글이다.

인생을 다시 살 수 있다면
더 많은 실수를 저지르리라.
긴장을 풀고 몸을 부드럽게 하리라.
이번 인생보다 더욱 우둔해지리라.
가능한 한 매사를 심각하게 생각하지
않을 것이며 더 많은 기회를 포착하여
과감하게 부딪쳐 보리라.
산에도 더욱 자주 가고
수영도 많이 하리라.
…
실제적인 고통은 많이 겪을 것이나

상상에 의한 고통은 가능한 한 피하리라.
...
이제 인생을 다시 살 수 있다면 장비를
간편하게 갖추고 여행길에 나서리라.
초봄부터 신발을 벗어던지고
늦가을까지 맨발로 지내리라.
춤추는 곳에도 자주 가리라.
회전목마도 자주 타리라.
데이지 꽃도 많이 꺾으리라.

한 가지 고통 앞에서 인생 전체를 비관하
지 말라

현재 겪고 있는 고통 때문에 이제 내 인생
은 끝장났다고 결론을 내리고 절망하지 말
자. 우리 삶은 한 가지 고통으로 인해서 쉽
게 부서지지 않는다. 얼마나 질긴 삶인데 그
리 쉽게 부서지겠는가! 우리 중 그 누가 집
을 살 때 방 하나만 보고 나서 그 집을 사는
가? 또 자동차를 살 때 바퀴 하나만 보고 그

차를 사는가? 아무도 그렇게 하지 않는다. 올바른 판단은 전체적인 시야에서 내려져야 한다. 집이나 자동차를 살 때만 전체적으로 보고 판단하는 것이 아니다. 우리 삶도 마찬가지다. 한 가지 고통 때문에 내 인생 전체를 평가하지 말자. 하나의 실패가 인생 전체를 실패한 인생으로 만들지 않으며, 한 번의 성공이 인생 전체를 성공한 인생으로 만들지 않는다.

한 가지 고통 앞에서 인생 전체를 비관해서는 안 된다는 점은, 우리가 너무나 잘 알고 있는 이야기를 통해서 볼 수 있다. 잘 알고 있는 이야기이지만 새롭게 대하도록 하자. 그래서 이 이야기의 가르침이 우리 것이 될 수 있도록 하자.

변방(邊方) 작은 마을에 어떤 노인이 살고 있었다. 그 노인은 가난했지만 모든 이가 부러워하는 하얀 말을 갖고 있었다. 그 말이 얼마나 멋진지, 임금님도 그 말을 탐

내어 수차례 노인에게 그 말을 팔라고 할
정도였다.

　노인은 그 백마를 친자식처럼 애지중지
했다. 그래서 누가 팔라고 해도 눈 하나
깜빡하지 않았다. 그러면서 이렇게 말하였
다. "나에게 이 말은 말이 아닙니다. 이 말
은 내 인생의 동무나 다름없는 인격체입니
다. 어떻게 인격체를 팔 수 있겠습니까?
어떻게 동무를 팔 수 있겠습니까?" 노인은
가난했기에 어마어마한 돈을 주고 사겠다
는 유혹도 왔지만 흔들리지 아니하였다.

　그런데 어느날 아침, 노인의 백마가 사
라져 버렸다. 마을 사람들은 노인에게 몰
려와 한마디씩 했다. "어리석기도 하시오.
우리가 얼마나 얘기했소. 그러다가 말을
도둑맞을지도 모르니 임자가 있을 때 어서
좋은 값에 팔라고 말이오. 어르신은 도대
체 그 귀한 말을 언제까지 가지고 있을 거
라고 생각했소? 이제 말이 없어졌으니 어
찌할 테요? 높은 양반들이 팔라고 했을 때

팔았더라면 엄청난 돈을 받았을 것이고 살
림살이도 폈을 터인데, 쯧쯧쯧. 후회해도
다 소용없소. 이제 말은 가버렸으니 평생
고생이나 하다 가겠구려."

동네 사람들의 비난을 말없이 듣고만 있
던 노인은 이렇게 대꾸했다. "그렇게 성급
히 판단하지 마시오. 우리가 아는 것은 말
이 없어졌다는 것뿐이니까. 말이 없어진
것이 저주인지 아닌지는 알 수 없는 게 아
니오?"

그러자 마을 사람들은 답답하다는 듯 소
리를 질렀다. "아니, 지금 우리를 가르치
려는 것이오? 당신의 백마는 가버렸고, 당
신은 저주받은 것이 분명하오."

노인은 다시 마을 사람들에게 대답했다.
"내가 알고 있는 것은 말이 없어졌다는 것
뿐이오. 그리고 그것이 저주인지 축복인지
모른다는 점이오. 다음에 무슨 일이 벌어
질지는 아무도 모르오."

마을 사람들은 노인을 비웃으면서 돌아

갔다. 그들은 노인이 미쳤다고 생각하였
다. 그런데 15일이 지나자 사라졌던 백마
가 다른 열두 마리 야생 백마들을 몰고 돌
아왔다. 마을 사람들이 노인에게 몰려와
축하하였다. "어르신네! 어르신네 말씀이
옳았습니다. 우리는 저주라고 생각했었는
데 어르신네 말대로 축복이었습니다. 우리
가 틀렸습니다."

노인은 즉시 그들의 말을 고쳐주었다.
"나는, 백마가 사라진 것을 축복이라고 얘
기한 적은 없소. 그렇게 쉬 판단하지 마시
오. 그냥 백마가 돌아온 것뿐이오. 이것이
축복인지 아닌지 어찌 알겠소."

마을 사람들은 노인 앞에서는 복이 굴러
들어 왔느니 횡재를 만났느니 하는 말은
삼가했다. 하지만 마음속으로는 그 생각에
동의하지 않았다. 그들이 보기에 노인은
분명 큰 행운을 얻은 것이다. 한 마리도
아니고 열두 마리나 되는 백마를 공짜로
얻었으니 말이다.

이런 일이 있은 뒤 얼마 안 되어 노인에게 비극적 사건이 일어났다. 노인에게는 아들이 하나 있었는데, 이 외아들이 야생마들을 길들이다 그만 말에서 떨어져 두 다리가 부러진 것이다.

마을 사람들이 노인을 위로하러 와서 말하였다. "어르신 말씀이 옳았습니다. 열두 마리 말들은 축복이 아니라 저주를 몰고 왔습니다. 하나밖에 없는 아드님이 불구가 되었으니, 이제 누가 어르신의 말년을 보살펴 주겠습니까?"

노인이 한숨을 쉬며 마을 사람들에게 말하였다. "당신들은 정말 즉시 판단을 내리는 데 지치지도 않는구려. 내 아들의 다리가 부러졌다고만 해야지, 저주받았다고 말하지는 마시오. 이 사건이 축복인지 저주인지 당신들이 어떻게 알겠소?"

몇 주일 후에 전쟁이 일어나 나라의 모든 젊은이들이 전쟁에 나가야 했다. 그 마을의 젊은이들도 마찬가지였다. 하지만 불구가 된 노인의 아들은 제외되었다.

마을 사람들이 노인에게 몰려왔다. 적군이 너무나 강해 전쟁에 나간 자기 아들들이 살아올 가능성은 희박하다면서 울부짖었다. 그러면서 노인에게 말하였다. "어르신이 옳았습니다. 어르신 아드님이 불구가 된 것이 축복이었습니다. 비록 불구는 되었지만 어르신과 함께 있을 수 있지 않습니까."

노인이 크게 한숨을 쉬면서 말하였다. "참, 딱들도 하오. 어찌 그리 내 말을 못 알아듣소. 누가 앞날을 알 수 있겠소. 다만 '우리 아들들은 전쟁에 나갔고, 내 아들은 전쟁터에 가지 않았다.'라고만 해야 하오. 이 사건이 축복인지 저주인지 누가 알겠소?"

그렇다! 누가 우리의 미래를 알 수 있겠는가? 하느님 외에는 그 누구도 우리의 앞날을 알지 못한다. 그러니 한 가지 고통 앞에서

인생 전체를 판단하고 비관하지 말아야 한
다. 인간의 시선과 하느님의 시선은 서로 다
르다. 인간은 부분적으로 보고 판단하고, 하
느님은 전체를 보고 판단한다. 영어로 절망은
disappointment이다. 여기에 맨 앞 단어 d를
h로 바꾸면 hisappointment가 된다. Hisappoint-
ment를 여러 차례 발음해 보라. Hisappoint-
ment, Hisappointment … 어떻게 되는가? His
appointment처럼 들리지 않는가? 바로 주님
의 약속이다. 철자 하나만 바꾸게 되면 절망
처럼 다가왔던 고통 속에 주님의 약속이 담
겨져 있음을 보게 된다.* 마치 "하느님을 사

---

* 본시 이 글은 다음 詩에 기초한 것이다.
   절망(Disappointment)
   그분의 약속(His appointment)
   철자 하나만 바꾸면 그때는 알게 된다네.
   내 계획이 틀어진 것은
   나를 위한 하느님의 더 좋은 선택이라는 것을.
   그분의 약속은
   다른 옷을 입고 올지라도
   축복을 가져옴이 틀림없다네.
   처음부터 그 결말은

랑하는 이들, 곧 하느님 결정대로 부르심을
받은 이들에게는 만사가 합하여 선으로 나아
간다는 것을 우리는 알고 있습니다."(로마 8,
28. 필자 번역)란 바오로 사도의 말처럼.

더 많이 사랑함

고통이 주는 아픔을 줄이기 위해서는 더욱
많이 사랑하는 수밖에 없다. 고통 중에 있을
때 그 아픔을 가볍게 하기 위한 가장 쉬운
방법은 자기 자신을 벗어나는 것이다. 나 자
신을 벗어나서 나보다 더 고통받는 사람을
찾고, 고통받는 세상을 위하여 무엇인가를
하는 것이다. 그것이 무슨 일이든, 큰 일이
든 작은 일이든 상관없이, 인내와 보살피는
마음으로 사랑을 하는 것이다. 얼마 전 정신

그분의 지혜 속에 열린 채로 있기 때문에.
이 詩의 저자가 누구인지 모르며, 이것은 데이비드 A.
시맨즈, 「단절된 꿈의 치유」(서울 : 두란노, 1994), 111
에서 참조되었다.

지체자인 스님께서 불구자들을 돌보고, 그들을 위해 염불을 외우는 모습을 본 적이 있다. 또 어려서부터 간질을 앓는 마흔이 넘은 한 신자분이 20년간 고아원에서 봉사활동을 해온 사실을 알았다. 이들은 다 자기의 고통을 뛰어넘어 영원을 향해 달려가는 아름다운 영혼들이다.

바오로 사도는 염병보다도 더한 고통을 겪으신 분이다. 그가 얼마나 모진 고통을 겪었는지 이렇게 고백하고 있다. "나는…수고를 많이 했고 감옥에도 많이 갇혔고 매는 수도 없이 맞았으며, 죽을 뻔한 일도 여러 번 있습니다. 사십에서 하나를 감한 매를 다섯 번이나 맞았고, 몽둥이로 맞은 것이 세 번, 돌에 맞아 죽을 뻔한 것이 한 번, 파선을 당한 것이 세 번이고 밤낮 하루를 꼬박 바다에서 표류한 일도 있습니다. …그리고 노동과 고역에 시달렸고 수없는 밤을 뜬눈으로 새웠고 주리고 목말랐으며 여러 번 굶고 추위에 떨며 헐벗은 일도 있었습니다."(2고린 11,23 –

27) 이렇게 고통을 겪으신 바오로 사도는 과연 저주받은 인생일까? 그러나 바오로 사도는 이렇게 말한다. "모든 일에 감사하십시오. 언제나 기뻐하십시오. 언제나 주님을 찬미하십시오." 바오로 사도는 자신의 고통을 주님 사랑과 영혼 구원을 위한 열정으로 승화시킨 분이다.

하느님을 철저히 신뢰하면서 찬양하라

끝으로 고통 중에서도 하느님을 철저히 신뢰하며 그분을 찬미할 수 있어야 한다. 하느님께 쌍소리와 삿대질을 해대며 반항한다 하더라도, 하느님만이 나를 돌보아 주시는 분이라는 사실을 잊어서는 안 된다. 아무리 혹심한 고통 가운데 있다 해도 주님 안에 머물 수만 있다면 우리는 내적 평화를 누릴 수 있다. 예수회를 창설한 성 이냐시오께서는 다음과 같은 질문을 받으신 일이 있다. "당신 삶에 가장 고통스런 일이 생긴다면 그게 무

엇일까요?" 성인은 잠시 생각한 뒤 "제가 주
님 안에서 벗이 된 형제들과 함께 세운 예수
회가 해산되는 일입니다." 이냐시오 성인께
서는 이어서 다음과 같이 말하였다. "하지만
제가 주님 안에 15분만 머물 수 있다면 저는
내적 평화를 되찾을 것입니다."라고. 그렇
다! 고통의 시기, 시련의 시기에 가장 안전
한 길은 생명의 주관자이신 하느님을 절대적
으로 신뢰하고 의존하는 것이다.

힘겨운 고통의 시간, 고통의 자리에서 주
님의 현존을 느낀다는 것이 쉽지 않다. 하지
만 어떤 고통 속에서도 주님께서 우리에게
하신 약속, "나는 세상 끝날까지 항상 너희
와 함께 있겠다."(마태 28,20)라고 하신 말씀
을 잊지 말자.

"누가 감히 우리를 그리스도의 사랑에서
떼어놓을 수 있겠습니까? 환난입니까? 역
경입니까? 박해입니까? 굶주림입니까? 헐
벗음입니까? 혹 위험이나 칼입니까?… 우

리는 우리를 사랑하시는 분의 도움으로 이
모든 시련을 이겨내고도 남습니다."(로마
8,35-37)

고통 중에서 하느님을 신뢰하기 위하여 성
서의 진리를 되새기는 것도 큰 도움이 된다.
성서 인물들이 고난 중에서 어떠한 태도로
하느님을 믿고 의지했는가를 되새기면서 우
리 역시 하느님을 신뢰하자. 시편 저자는,
"올곧은 사람은 불행이 많아도 주님은 그 모
든 고난에서 건져주신다."(시편 34,19)고 노
래한다. 여기서 '건져주신다.'라는 말에는
'무장시키다, 장비를 갖추다.'라는 의미도
있다. 야훼 하느님께서는 우리가 고통 중에
서도 굳건히 서 있을 수 있도록 무장시키신
다. 예레미야 예언자는 고통 중에서도 하느
님의 신실하심에 우리 삶을 의탁할 것을 권
고한다. "주 야훼의 사랑 다함 없고, 그 자
비 가실 줄 몰라라. 그 사랑, 그 자비 아침
마다 새롭고, 그 신실하심 그지없어라."(애가

3, 22 - 23) 이사야 예언자는 하느님께서 정말로 우리 인간을 돌보고 계심을 충격적으로 강조하기 위해 인간을 '벌레', '구더기'로 지칭한다. "나 야훼가 너희 하느님, 내가 너의 오른손을 붙들어 주며 이르지 않았느냐? 두려워 말라. 내가 너를 도와준다. 두려워 말라, 벌레 같은 야곱아! 구더기 같은 이스라엘아, 내가 너를 도와주리라. 야훼의 말이다. 이스라엘의 거룩하신 자가 너를 구원하는 이다."(이사 41, 13 - 14)

올바로 고통을 받아들이기 위해서는 고통 한복판에서도 하느님을 찬양할 필요가 있다. 바오로 사도는 우리에게 "항상 기뻐하십시오. 늘 기도하십시오."(1데살 5, 16)라고 말한다. 바오로 사도가 이렇게 말한 것은, 모든 것이 합하여 선으로 나아감을 알기 때문이었다. 바오로 사도는 필립비에서 전도여행을 하던 중 모함과 박해를 받는다. 치안관들 앞에 끌려가 벌거벗긴 채 매질을 당하고 차꼬가 채워져 감옥에 갇힌다. 하늘 나라의 복음을 전하느라

수고하였지만 돌아온 것은 시련과 고통뿐이었을 때, 다시 용기를 내어 하느님을 찬미한다는 것은 쉬운 일이 아니다. 그런데 바오로는 고통 중에서도 하느님께 찬미 기도를 드린다(사도 16,25). 그는 육신의 고통을 쳐부수는 영적 승리가 무엇인지를 보여준 것이다. 하느님을 찬미하는 소리가 감방에 울려 퍼지자 갑자기 큰 지진이 일어나면서 온 감옥문이 열리고 죄수들의 사슬이 풀리게 된다.

사람의 눈은 흰자위와 검은자위로 되어 있다. 사람이 물체를 분별하는 것은 흰자위가 아니라 검은자위를 통해서이다. 왜 하느님은 인간이 검은자위를 통해서 사물을 보게 만들었는가? 탈무드는 다음과 같이 말한다.

"네 인생이 어두울지라도, 네 현실이 눈동자같이 캄캄하다고 할지라도 결코 낙심하거나 좌절하지 말아라. 오히려 그 어두움을 통하여 밝은 미래를 바라볼 수 있게 될 것이다."

3
고통에 대한 두 가지 태도

지금까지 우리는 고통을 어떻게 받아들일 것인지, 그 구체적 방법에 대해서 살펴보았다. 이제부터는 구체적인 성서 인물 두 사람을 통하여 어떤 태도로 고통을 받아들이는 것이 가장 이상적인지 보도록 하겠다. 창세기를 보면, 야곱과 요셉이 각자 자기의 지나온 인생을 정리하는 장면이 나온다. 그런데 야곱이 삶을 정리하는 모습과 요셉이 삶을 정리하는 모습이 아주 다르다. 이 차이점을 눈여겨본다면, 우리는 고통 앞에서 어떠한 태도를 가져야 할지 알게 된다.

성조 야곱이 이집트 재상으로 있던 아들

요셉을 만났을 때, 이집트 파라오가 야곱에게 그의 나이가 얼마나 되었는지 묻는다. 야곱이 대답하기를, "이 세상을 떠돌기 백삼십년이 됩니다. 얼마 되지는 않사오나 살아온 나날이 다 궂은일뿐이었습니다."(창세 47,9) "살아온 나날이 다 궂은일뿐"이라는 야곱의 말은 우리의 말이기도 하다. 사실 야곱의 생은 쉽지 않은 생이었다. 하나의 투쟁이 지나가면 또 다른 투쟁이 다가오는 생, 집념의 생이었다. 인간의 욕망이 바로 그의 운명이란 말이 있듯이, 야곱은 자신의 의지가 담긴 집념적 행위들을 통하여 자기 생을 조각하였다.

그는 장자권에 대한 집념으로 눈먼 아버지를 속이고 축복을 받아내지만, 형의 증오를 피하여 집과 고향을 떠나야 했고, 사랑하는 어머니를 살아생전 다시는 못 보게 된다. 사랑하는 여인에 대한 집념 때문에 인색하고 고약한 장인 밑에서 돈 한푼도 못 건지고 20년을 일해야 했다. 야뽁강에서 대면한 남자

(하느님의 천사)와의 씨름에서 축복을 받아 내려는 집념 때문에 그 남자를 놓지 않다가 채여서 한평생 절름발이가 되었다. 성미 급하고 잔인한 성격의 자녀들 때문에 항시 가슴 졸이며 살아야 했고, 특히 그들이 세겜 사람들을 죽이면서 언제 어디서 세겜인들이 복수를 하러 나타날지 몰라 늘 불안하게 살아야 했다. 또 맏아들 르우벤이 야곱의 소실과 잠자리를 같이하는 불륜을 저질러 그를 노엽게 한다. 무엇보다도 가장 큰 고통은 고향땅에 돌아오자마자 그가 끔찍히 사랑했던 라헬, 14년이란 세월을 바칠 만큼 깊이 사랑했던 아내 라헬을 길에다 묻어야 했던 사건이다. 이어 애지중지하던 아들 요셉이 동물에게 무참하게 찢겨 죽었다는 변고 소식을 들어야 했고, 그런 일이 있은 지 21년 뒤에는 극심한 가뭄으로 식량이 떨어지자 어린 손주들이 배를 움켜쥐고 땅에 뒹구는 꼴을 보아야 했다. 끝으로 막내아들 벤자민을 이집트 땅으로 보내면서 그를 잃어버리지 않을

까 노심초사해야 했다. 한마디로 그의 생은
거친 풍파를 헤쳐온 험난한 생이었다.

　한편 그의 아들 요셉의 생은 어떤가? 형들
의 질투를 사서 살해당할 뻔한 뒤, 열일곱
살이란 젊은 나이로 이집트에 노예로 끌려갔
던 요셉. 노예생활 10년 뒤 상전의 아내를
겁탈하려 했다는 무고를 받아 강간미수죄로
감옥에 들어가 무기수로 살아야 했다. 3년
동안 옥살이를 한 후에 풀려나게 된 요셉의
고통스러웠던 생을 요셉은 어떻게 정리할까?

　누구의 생이 더 고통스럽고 힘들게 보이는
가? 아무리 야곱의 생이 비참하다 하더라도
요셉만큼 비극적인 것은 아니다. 야곱은 유
랑생활을 하였지만 요셉처럼 노예생활을 한
것은 아니다. 야곱은 14년간이나 돈 한푼 받
지 않고 일을 했지만 자유인이었고 옆에는
사랑스런 연인 라헬이 있었다. 하지만 요셉
은 자유인이 아닌 종의 신분으로 일했고 상
전의 부인으로부터 성적 시달림을 받아야 했
다. 나아가 요셉은 언제 풀려날지도 모르는

무기수로서 감옥에서 살아야 했다.

이렇게 요셉의 생은 그의 아버지 야곱보다 더 고통스런 생이었지만, 창세기 본문을 읽어보면 요셉의 생은 봄날 순풍에 돛단배 가듯 평탄한 인생처럼 보인다. 아버지보다 훨씬 더 힘겨운 생이었는데도 축복받은 생처럼 보여진다. 이것은 무슨 까닭일까? 야곱의 집념과 요셉의 순종이 바로 그 이유이다. 야곱은 집념이 컸던 만큼 하느님께 대한 항복이 늦었다. 한편 요셉은 어떠한 처지에서든 하느님을 신뢰하고 순리대로 살아왔기 때문에 고통보다는 축복이 부각되는 것이다.

요셉은 전적으로 하느님께 의존하며 산 삶이다. 요셉은 한번도 생의 비극에 굴복해 본적이 없다. 그는 어떠한 시련이 닥쳐와도 늘 하느님 안에 머물렀다. 고통 한가운데에서도 하느님이 당신 선의로 자기 삶을 이끌어 주리라고 믿었다. 요셉은 전적으로 하느님께 그 중심을 두었다. 그가 무슨 이야기를 할 때에나 무슨 행위를 할 때에 '하느님'이란

단어가 얼마나 자주 들어가는지 모른다. (1)
감옥에 함께 갇혔던 파라오의 두 시종장이
꿈을 꾸고 나서 요셉에게 해몽을 청했을 때,
요셉은 "꿈을 푸는 것은 하느님만이 하실 수
있는 일이 아니겠습니까?"라고(창세 40,8) 말
한다. (2)파라오가 요셉에게 해몽해 달라고
하자 요셉은 파라오에게, "저에게 무슨 그런
힘이 있겠습니까? 폐하께 복된 말씀을 일러
주실 이는 하느님뿐이십니다."(창세 41,16)라
고 대답한다. (3)긴 세월이 지나서 다시 만
나게 된 형들에게 요셉은 자기 정체를 밝히
면서, "하느님께서 우리의 목숨을 살리시려
고 나를 형님들보다 앞서 이곳 이집트로 보
낸 것입니다."(창세 45,5)라고 말한다. 또 하
느님 섭리를 강조하기 위하여 재차 "나를 이
곳으로 보낸 것은 형님들이 아니라 바로 하
느님이십니다."(창세 45,8)라고 한다. (4)자
기가 이집트의 통치자가 된 것은 파라오가
그를 재상으로 임명하였기에 그렇게 된 것인
데, 형들에게는 "하느님께서는 나를…이집

트 전국을 다스리는 자로 세워주셨습니다."
(창세 45,9)라고 말한다. (5)야곱이 죽기 직
전 요셉의 두 아들을 가리키면서 "애들이 누
구냐?" 하고 묻자 요셉은 "애들은 하느님께
서 이곳에서 저에게 주신 제 아들들입니다."
(창세 48,8-9)라고 대답한다.

　이상의 예문들을 통해서 하느님을 향한 요
셉의 신앙이 얼마나 깊은지 알 수 있다. 요
셉은 자기 삶의 고통스런 자리에서 하느님이
함께하심을 믿었던 인물이다. 하느님이 언제
나 자기를 버리지 않으시고 돌본다는 것을
믿은 사람이다. 요셉과 같은 신앙을 가진 이
에게는 인생의 어떤 고통도 힘겹지 않다. 그
가 고통의 폭풍우 속을 지나갈 때 하느님께
서 그와 함께하면서 당신의 지팡이와 막대기
로 그를 지켜주시니 힘겨울 수가 없다. 그는
기쁨이든, 슬픔이든, 편안함이든, 고통이든,
항상 하느님과 함께하기에 어려움이 어려움
으로 끝나지 않는다.

　어떻게 한 신앙인의 마음과 삶 속에 있는

하느님의 현존을 알 수 있을까? 그것은 그 사람이 누리는 평화로움으로 알 수 있다. 하느님을 마음속에 모시고 사는 사람은 커다란 평화 속에 살며 어떠한 시련 속에서도 평화를 잃지 않는다. 우리는 이런 사람을 만날 때 그를 통해서 더 위대한 존재를 느끼게 된다.

요셉은 바오로 사도가 한 말씀 그대로 고통을 통해서 적극적 열매를 딴 사람이다. "하느님을 사랑하는 사람들, 곧 하느님의 계획에 따라 부르심을 받은 사람들에게는 모든 일이 서로 작용해서 좋은 결과를 이룬다는 것을 우리는 압니다."(로마 8,28) 고통의 적극적 열매가 누구에게나 주어지는 것은 아니다. 바오로 사도는 분명히 "하느님을 사랑하는 사람들"에게 만사는 좋은 결과를 이룬다고 했다. "하느님을 사랑하는 사람들"에서 "사랑하는"에 해당하는 그리스어 동사는 계속적인 행위를 나타내는 현재 시제이다. 고통을 당하는 동안 하느님을 사랑하는 사람은

그의 모든 체험이 구원적이고 신학적이라는
말이다.

　요셉의 삶을 더듬어 보면서 다시 기억하고
싶은 인물은 빅토어 프랑클이다. 그는 2차
세계대전 당시 나치에게 모든 것을 빼앗겼
다. 가족도, 재산도, 집도 모든 것을 다 잃
어버린 상태에서도 그는 삶의 의미를 찾기
위하여 그 동안 써오던 글을 계속 쓴다. 그
것은 훗날 '로고테라피(의미 추구를 통한 치
료)'라는 이름으로 발표된 글의 초안이 된
다. 그런데 불행하게도 아우슈비츠 수용소에
서 그 글을 빼앗기게 된다. 외투 속 깊이 감
추어 두었지만 발각된 것이다. 고통 중에서
도 그에게 힘이 되었던 영적 산물을 빼앗기
자 그는 더이상 살아야 될 이유를 찾지 못한
다. 육체적인 것이든 정신적인 것이든 모든
것을 다 박탈당하고 벌거벗은 몸뚱이만 남아
있는 상황에서 삶이 도대체 무슨 의미가 있
을까 절망하게 된다. 그는 가스실에서 죽어

간 죄수가 입었던 누더기 옷을 배급받아 갈
아입다가 우연히 윗주머니에 들어 있던 종이
를 발견한다. 거기에는 히브리 기도서에서
찢어낸 기도문이 적혀 있었다.

"이스라엘아 들어라! 우리의 하느님은
야훼시다. 야훼 한 분뿐이시다. 마음을 다
기울이고 정성을 다 바치고 힘을 다 쏟아
너희 하느님 야훼를 사랑하여라."

이 종이 쪽지를 발견하고 나서 프랑클은
다시 삶의 의미를 발견하게 된다. 그는 말
한다.

"우리가 인생의 어떤 험한 처지에 있다
해도 삶의 의미를 찾을 수만 있다면 살아
갈 힘을 갖는다. 살아야 할 이유를 가진
사람은 어떻게든 고통스런 처지를 견디면
서 살아갈 수 있다."

프랑클이 남긴 위대한 말은 이것이다. 우리가 왜 살아야 하는지 그 이유만 안다면 어떻게 사는 것은 중요치 않다는 것이다. 그리고 우리가 왜 살아야 하는가에 대한 답은 하느님 때문, 예수 그리스도 때문이다.

이 혼탁한 시기에 우리는 도대체 왜 살아야 하는지 그 의미를 잊어버리고 살기 쉽다. 우리는 이 사람도 저 사람도 그럭저럭 살고 있으니 우리도 살아간다고 생각한다. 하지만 진실을 말하자면, 세상 사람들에게 예수 그리스도를 모시게 할 수만 있다면, 세상 사람들이 예수와 같이 살게만 된다면, 또 그렇게 되어야만 우리 삶에 의미가 있는 것이다. 예수와 같이 살지 않는다면, 비록 모든 사람이 우리를 존경하고 사랑할지라도 우리 삶은 무의미할 뿐이다.

❧ 맺음말

   복음에, 예수께서 제자들과 함께 배를 타고 가시다가 뱃고물을 베개 삼아 주무셨다는 이야기가 나온다. 거센 풍랑이 치자 제자들은 배 안에 들어온 물을 퍼내기에 정신이 없다. 그런데 그런 와중에서도 예수께서는 코까지 골면서 주무신다. 다음은 이 장면에 대한 예수회원 슈미드콘스(Theo Schmidkons)의 묵상이다.

  풍랑 속의 고요

   두려움에 떠는 제자들의 행위를 우리의 불안한 몸짓으로 알아듣게 합니다. 많은 것들

이 우리 영혼을 혼란시키고 심지어는 성난
파도처럼 초조하고 조급한 두려움으로 우리
를 엄습합니다.

　우리는 혼신을 다해 노를 젓지만 그 모든
노고가 허사처럼 느껴질 때가 있습니다. 모
든 가능성을 다 동원해 보지만 종내 지쳐버
릴 뿐입니다. 그러면 우리는 제자들처럼 다
급히 기도하며 하느님의 자비를 청합니다.
"주님, 저희가 침몰하고 있는데 어찌 돌보지
않으십니까, 구해주소서!"

　같은 배에 타고 계신 예수께서는 아랑곳도
하지 않으십니다. 이러한 예수님에 대해 성
서는 도전적인 언어로 말합니다.
　"그분은 뱃고물을 베개 삼아 주무시고 계
셨다."
　침몰 한가운데서 방임(放任), 풍랑 속의 절
대 고요. 그분은 하느님 아버지의 손에 굳게
자신의 닻을 내리고 계심을, 그 아버지가 바

로 자신의 고요이며 안전이심을, 세상의 그 어떤 힘도 자신을 그 고요 밖으로 데려 내올 수 없음을 아십니다.

우리는 어떻게 그 절대 고요에 이를 수 있을까요?

예수께서는 두 가지 질문을 하십니다.

"왜 너희는 아직도 두려워하고 있느냐?"

"너희는 아직도 믿음이 없느냐?"

그렇습니다! 우리는 두려움을 솔직히 인정하고 그 두려움 하나하나를 고백해야 합니다.

그리고 우리는 믿어야 합니다.

깊고 무서운 심연보다 더 깊은 것은

헤아릴 길 없는 하느님의 충실함임을.

하느님께서는 우리를 어떤 위험에도 홀로 버려두지 않으십니다.

그리고 그분과 함께 우리는

모든 풍랑과 불안, 그리고 죽음까지도

극복하게 될 것입니다.

예수님,

저희 모두는 당신과 같은 배를 타고 있습니다.

거센 풍랑이 몰아치고
두려움이 우리를 엄습해도
도움을 청하기 위해서만
당신을 부르지는 않겠습니다.
당신은 늘 우리와 함께 계십니다.
당신은 풍랑 속의 고요이십니다.
당신은 모든 심연을 넘어선
군건한 기초이십니다.
저희가 해야 할 오직 한 가지는
당신을 믿고 당신을 신뢰하는 것입니다.

● 지은이

예수회 신부. 로마 성서 대학원에서 교수 자격증(S.S.L.)
취득. The Catholic University of America에서 신약 주석학으
로 박사 학위(Ph.D.) 취득. 현재 서강대학교 수도자 대학원
에서 신약 과목 강의.

성서와 인간 4

고통, 그 인간적인 것

1998년 10월 25일 1판 1쇄 인쇄
1999년 6월 5일 1판 4쇄 발행

지은이 / 송봉모
펴낸이 / 정문자
펴낸곳 / 바오로딸

142 · 704 서울 강북구 미아 9동 103
등록 / 제7 · 122호 1994. 3. 30.
전화 / 984 · 1611 팩스 / 984 · 3612
대체 / 012237 · 31 · 0525642
지로 / 7520101

취급처 / 중앙보급소
전화 / 984 · 3611 팩스 / 984 · 3612
ⓒ 송봉모 · 1998 FSP 707

값 3,500원

email : edit @ pauline. or. kr
http : //www. pauline. or. kr
통신판매 : 981 · 1611
ISBN 89 · 331 · 0275 · 2

송봉모 신부의
성서와 인간 시리즈

1. 상처와 용서
용서는 다른 누구를 위해서가 아닌 바로 우리 자신을 위한 길.

2. 광야에 선 인간
자신의 바닥을 대면하는 자만이 참으로 자유로울 수 있다.

3. 생명을 돌보는 인간
이웃과 생명을 나눌 때 나도 행복하고 이웃도 행복하고….

4. 고통, 그 인간적인 것
고통을 수반하는 삶이 자연의 삶이요, 건강한 삶이다.

*8권까지 발행될 '성서와 인간' 시리즈를 통해 풍요로운 삶을 가꾸실 수 있습니다.